Der gekreuzigte Christus

Stuttgarter Bibelstudien 69

herausgegeben von Herbert Haag, Rudolf Kilian
und Wilhelm Pesch

Ludger Schenke

Der gekreuzigte Christus

Versuch einer literarkritischen
und traditionsgeschichtlichen Bestimmung
der vormarkinischen Passionsgeschichte

KBW Verlag Stuttgart

ISBN 3-460-03691-5
Alle Rechte vorbehalten
© 1974 Verlag Katholisches Bibelwerk GmbH, Stuttgart
Lektorat: Josef Metzinger
Umschlag: Hans Burkardt
Gesamtherstellung: Buch- und Offsetdruckerei Georg Riederer, Stuttgart

Dem Fachbereich Katholische Theologie
der Johannes Gutenberg - Universität Mainz
als Dank für die Verleihung des Doktortitels

Vorwort

Die folgende Studie ist als Vorlage für die Teilnehmer an einem neutestamentlichen Seminar über die vormarkinische Passionsgeschichte am Fachbereich *Katholische Theologie* der *Johannes Gutenberg - Universität Mainz* entstanden. Das bedingte eine möglichst knappe und thesenhafte Form. Auf eine umfassende Diskussion der umfangreichen Literatur mußte daher weitgehend verzichtet werden.

Ich habe gemeint, meinen Lösungsversuch der literarkritischen und traditionsgeschichtlichen Probleme einer vormarkinischen Passionsgeschichte zur Diskussion stellen zu sollen. Herr Prof. Dr. Wilhelm Pesch hat dies durch die Aufnahme des Manuskriptes in diese Reihe ermöglicht. Ihm gilt dafür mein besonderer Dank.

Die Studie stellt die notwendige Fortsetzung und Ergänzung meiner Dissertation dar. Damit erklärt sich die Widmung.

Mainz, im Oktober 1973

LUDGER SCHENKE

Inhalt

Einleitung

Die Frage nach der Urfassung der Passionsgeschichte ist trotz intensiver exegetischer Bemühungen gerade in jüngster Zeit immer noch nicht befriedigend beantwortet. Nicht nur die literarkritische Frage nach Umfang und Gestalt der ursprünglichen Passionsgeschichte ist nach wie vor umstritten, sondern zunehmend auch das traditionsgeschichtliche Problem, ob es eine zusammenhängende Passionsgeschichte vor Mk überhaupt gegeben hat. Wir brauchen hier keinen forschungsgeschichtlichen Überblick über die bisherigen Lösungsversuche zu geben. Kurze Zusammenfassungen des aktuellen Fragestandes haben zuletzt *Schreiber*[1], *Linnemann*[2] und *Schneider*[3] vorgelegt. Ganz knapp seien daher nur die wichtigsten Stationen der Forschung zur Passionsgeschichte seit dem Aufkommen der Formgeschichte genannt.

Nach *Bultmann*[4] ist die Passionsgeschichte kein »organisches Ganzes«, sondern besteht »wesentlich aus Einzelstücken«, die ursprünglich isoliert umliefen und erst sekundär zu einem Bericht zusammengestellt worden sind. Ursprünglich habe nur ein alter Geschichtsbericht existiert, »der ganz kurz Verhaftung, Verurteilung durch das Synedrium und Pilatus, Abführung zum Kreuz, Kreuzigung und Tod erzählte.« Dagegen darf nach *Dibelius*[5] »die Leidensgeschichte . . . als das einzige evangelische Überlieferungsstück gelten, das schon in früher Zeit Begebenheiten in größerem Zusammenhang darstellte. Es ist anzunehmen, daß auch diese Darstellung Stücke enthielt, die zunächst in der Gemeinde isoliert umgelaufen waren«. Damit kommt Dibelius der Auffassung Bultmanns zwar nahe, doch betont er stärker als dieser die schon sehr frühe Ausgestaltung des Passionsberichtes als zusammenhängende Erzählung, von der die exegetische Fragestellung auszugehen habe.

---

[1] Die Markuspassion. Wege zur Erforschung der Leidensgeschichte Jesu, Hamburg 1969.

[2] Studien 54-68.

[3] Das Problem einer vorkanonischen Passionserzählung: BZ NF 16 (1972) 222-244.

[4] GST 297-301.

[5] FG 178ff; vgl. *ders.*, Problem 248; so auch schon *Schmidt*, Rahmen 303ff.

J. Jeremias[6] unterscheidet aufgrund eines Vergleichs des markinischen Berichtes mit der Darstellung des Joh-Ev einen jüngeren *Langbericht*, der mit Jesu Einzug in Jerusalem (Mk 11) einsetzte, und einen älteren *Kurzbericht*, der mit der Verhaftung Jesu (Mk 14,43) begann. *Schille*[7] rekonstruiert aus dem markinischen Passionsbericht *drei* ursprünglich selbständige Traditionskomplexe: 1. eine *Anamnese* der Ereignisse der letzten Nacht Jesu (14,18-72), die in einer Agape am Jahrestag des Berichteten ihren Sitz hat, 2. *Grablegenden* (15,42 - 16,8), die aus einer frühen Osterfeier stammen, und 3. eine *»Karfreitagserinnerung«* an das Kreuzesgeschehen (15,2-41), in der feste Gebetsstunden der Urgemeinde eine entscheidende Rolle spielen. *Taylor*[8] nimmt aufgrund sprachlich-stilistischer Erwägungen folgenden ursprünglichen Passionsbericht an: 14,1f.10f.17-21.26-31. 43-46.53a; 15,1.3-5.15.21-24.26.29f.34-37.39.42-46. *Hahn*[9] hält ohne nähere Begründung folgenden Umfang für ursprünglich: 14,1f. 10f.18 . . . 25.26f.43-52 . . . 65; 15,1.3-5 . . . 15b.20b-24.26f. 29a.32b.34.(35f.)37. *Gnilka*[10] kommt von der Analyse der beiden Verhandlungserzählungen 14,55-65 und 15,2-5 her zu dem Ergebnis, daß sich in 15,1 eine Zäsur zwischen Mk 14 und Mk 15 feststellen lasse. Andere Beobachtungen zur Erzählstruktur von Mk 14 und Mk 15 bestätigen ihm, daß Mk 15,2 - 16,8 einmal selbständig überliefert und erst sekundär durch 15,1 mit Mk 14 verknüpft wurde.

Den Ansatz Bultmanns konsequent durchführend hält *Schreiber*[11] den Evangelisten Mk für den »älteste(n) Erzähler der uns heute vorliegenden Leidensgeschichte«, die er aus ursprünglich isoliertem Einzelmaterial zusammengestellt hat. Zum gleichen Schluß kommt *Linnemann*[12], die an Hand der Analyse der Verhaftungserzählung das Kompositionsgesetz der Leidensgeschichte entdeckt zu haben

---

[6] Abendmahlsworte 83-90.
[7] Das Leiden des Herrn. Die evangelische Passionstradition und ihr »Sitz im Leben«: ZThK 52 (1955) 161-205.
[8] *Taylor* 653-664.
[9] Hoheitstitel 195 A. 1.
[10] Verhandlungen 6ff.
[11] Theologie 83f.
[12] Studien 54ff.

meint: »Sie ist von Anfang bis Ende aus selbständigen Überlieferungsstücken komponiert. Diese sind ... spätestens von der Verhaftung an am Faden des natürlichen Handlungsablaufs aufgereiht,
während sich im ersten Teil daneben auch theologische Motive geltend machen. Ich sehe keinen Anlaß, die Komposition der Passionsgeschichte aus einzelnen Überlieferungsstücken nicht ebenso wie die
Gestaltung des übrigen Evangeliums dem Evangelisten Markus zuzuschreiben«.

In meiner eigenen Untersuchung zu Mk 14,1-42[13] habe ich zu zeigen
versucht, daß in diesem Abschnitt kein zusammenhängender ursprünglicher Bericht nachzuweisen ist. Dieses Ergebnis besagt aber
noch nichts darüber, ob Mk nicht ab 14,43 oder sogar 14,32 einen
Quellenbericht benutzt hat. Die Analyse von 14,32-42 kann dies
wohl wahrscheinlich machen.

Einen längeren *vormarkinischen* Traditionsprozeß des Passionsberichtes nimmt zuletzt *Schneider*[14] an. Er rechnet damit, daß der
Kreuzigungsbericht 15,20b-41 einmal für sich existierte und die früheste Stufe der Passionsüberlieferung darstellt. Noch vormarkinisch
muß er zunächst bis zum Pilatusverhör und dann bis zur Verhaftung Jesu »verlängert« worden sein. Mk jedenfalls hatte einen Passionsbericht vor sich, der mit der Verhaftung Jesu (vielleicht auch
mit der Gethsemaneszene) einsetzte.

Wenn ich angesichts dieser Forschungslage und ihrer oft völlig divergierenden Ergebnisse im folgenden erneut die Frage nach Umfang und Aussage einer vormarkinischen Passionsgeschichte angehe,
so möchte ich dieses Unternehmen von vornherein als literarkritischen und traditionsgeschichtlichen *Versuch* deklarieren, der für bessere Lösungen offenbleibt. Ich lege der Untersuchung die Ergebnisse
meiner Dissertation (s. o. Anm. 13) zugrunde und werde daher auf
die Probleme von 14,1-42 nicht näher eingehen. Ebenso braucht
nach den Arbeiten von *Schneider*[15] und *Dauer*[16] die Fragestellung

---

[13] Studien zur markinischen Passionsgeschichte (FzB 4) Würzburg 1971.
[14] Passion 19-27.
[15] Verleugnung, Verspottung und Verhör Jesu nach Lukas 22,54-71
(StANT 22) München 1969.
[16] Die Passionsgeschichte im Johannesevangelium (StANT 30) München
1972.

der Untersuchung nicht mehr auf den lukanischen und johanneischen Passionsbericht ausgedehnt zu werden.

Es empfiehlt sich, die Untersuchung mit der Analyse von Mk 14,53 - 15,20a zu beginnen (Kapitel I). An diesem Text muß sich einerseits schon entscheiden, ob überhaupt mit einem vormarkinischen zusammenhängenden Passionsbericht zu rechnen ist. Andererseits ist uns hier noch nicht das umstrittene und die Untersuchung sonst belastende Problem des *Beginns* der Passionsgeschichte aufgegeben. Dieses kann erst gelöst werden, nachdem ein größerer Teil des wahrscheinlichen vormarkinischen Passionszusammenhangs bereits in den Blick gekommen und formal und inhaltlich analysiert worden ist. Darum soll zuvor noch der Kreuzigungsbericht Mk 15,20b-47 besprochen werden, wobei auch das Problem des *Abschlusses* der Passionserzählung zu lösen sein wird (Kapitel II). Erst danach wird sich die Untersuchung dem Abschnitt Mk 14,32-52 und der Frage des *Beginns* der vormarkinischen Passionsgeschichte zuwenden (Kapitel III).

I. Kapitel

Mk 14,53-15,20 a

A) LITERARKRITISCHE ANALYSE VON 14,53 - 15,20a

1. DIE VERLEUGNUNGSGESCHICHTE 14,54.66-72 *

Wir setzen mit unserer literarkritischen Frage nach der vormarkinischen Passionsgeschichte bei der Verleugnungserzählung ein. Diese ist mit ihrem Kontext in einer Komposition verbunden, die »geradezu als künstlerisch« gelten kann (Dibelius). Ist diese Komposition ursprünglich? War die Verbindung der Verleugnungsgeschichte mit dem Passionsbericht einmal anders, oder war die Erzählung ursprünglich eine selbständige Einzeltradition, die erst sekundär in den Passionsbericht eingefügt wurde? Das sind die Fragen, die im folgenden zu lösen sind.

a) Die Komposition 14,53-72

Wir haben in 14,53-72 die kunstvolle *Verschachtelung* zweier Erzählungen vor uns, die beide völlig aus sich verständlich sind und nicht aufeinander verweisen, so daß sie ursprünglich durchaus unabhängig voneinander existiert haben könnten; sie sind aber durch V. 53.54 jetzt eng miteinander verbunden: V. 53 schließt direkt an die Verhaftungsszene 14,43-52 an und bereitet zugleich 14,55-65 vor; V. 54 schließt an V. 53 an und bereitet V. 66-72 vor. V. 66a wiederum greift direkt auf V. 54 zurück. Die literarische Absicht dieser engen Verknüpfung dürfte sein, die *Gleichzeitigkeit* der beiden Szenen darzustellen.[1] Die künstliche Art der Verknüpfung beweist aber, daß diese Absicht wohl erst sekundär an die beiden Szenen herangetragen worden ist.

Mit der Verschachtelung der beiden Szenen liegt ein Kompositionsverfahren vor, das im Mk-Ev öfter anzutreffen ist: vgl. 3,20-35; 5,21-43; 6,7-30; 11,12-25; 14,1-11. Mit ziemlicher Sicherheit ist dieses Verfahren in jedem Fall auf den Evangelisten zurückzufüh-

---

* Lit.: *Klein*: ZThK 58 (1961) 285-328; *Linnemann*, Studien 70-108.
[1] Vgl. *Schubert*, Kritik 426.

ren. Dies dürfte daher auch in 14,54-72 wohl das Wahrscheinlichste sein.[2]

Dafür spricht auch, daß sich an den Nahtstellen der Komposition markinische Redaktion nachweisen läßt, in V. 66f allerdings sicherer als in V. 54. Die Einleitung von V. 66 geht sicher auf den Evangelisten zurück. Redaktionelle, mit εἶναι konstruierte Genitivus-absolutus-Konstruktionen finden sich noch 8,1; 11,11; 14,3. Die Nennung des Petrus stößt sich hier mit der von V. 67. Das »unten im Hof« wiederholt die Ortsangabe von V. 54, aber aus der Sicht der Synedriumsszene. In V. 67 wiederholt das θερμαινόμενον (sich wärmend) die ausführlichere Angabe von V. 54 und ist darum redaktionell. Das ἐβλέψασα (anschauend) stößt sich in gewisser Weise mit ἰδοῦσα (sehend); eins dieser beiden Partizipien dürfte auf den Redaktor zurückgehen. Ursprünglich könnte dann V. 66f gelautet haben: »und es kommt eine von den Mägden des Hohenpriesters, sieht den Petrus (bzw.: schaut Petrus an) und sagt zu ihm . . .«.

V. 54b ist sicher Teil der ursprünglichen Einleitung der Verleugnungsszene. Gleiches dürfte für V. 54a jedoch nur dann gelten, wenn die Verleugnungserzählung schon ursprünglich zur Passionstradition gehörte und an die Verhaftungsszene anschloß, was aber sehr unwahrscheinlich ist (s. u.). Dann muß das ἀπὸ μακρόθεν ἠκολούθησεν αὐτῷ ἕως ἔσω (von ferne folgte er ihm bis hinein) redaktionell sein. Dafür könnte auch sprechen, daß ἀπὸ μακρόθεν in der ähnlichen Situation der Passionsgeschichte 15,40 auch auf Redaktion zurückgeht und daß kein Motiv für das »Von-ferne-Nachfolgen« genannt wird (anders Mt 26,58). Letzteres wäre bei einem ursprünglichen Zusammenhang mit 14,43-52 wegen V. 50 doch wohl zu fordern. Im Falle redaktioneller Komposition jedoch könnte sein Fehlen damit erklärt werden, daß der Redaktor lediglich ein Interesse an einer Überleitungsnotiz hatte, nicht aber an einer Motivation. Die Nennung des Petrus und die Erwähnung der Ortsangabe »in den Hof des Hohenpriesters« könnten ursprünglich zu V. 54b gehört haben, der dann etwa gelautet hat: »und Petrus saß (ἦν συγκαθήμενος) im Hof des Hohenpriesters mit den Dienern

---

[2] So auch *Schweizer* 185; *Lohse*, Geschichte 72; *Best*, Temptation 94; *Schnackenburg* II 272.

zusammen und wärmte sich am Feuer«. Hieran schließt sich V. 66f in der von uns rekonstruierten Form gut an.

Es ergibt sich also, daß erst Mk die beiden Szenen in 14,53-72 eng miteinander verknüpft hat. Unabhängig von der noch zu behandelnden Frage, ob die Verleugnungsszene dadurch überhaupt erst in den Kontext der Passionsgeschichte eingefügt worden ist, dürfte sich als Motiv des Evangelisten dafür erkennen lassen, einen eindrucksvollen Kontrast durch die Gegenüberstellung des *bekennenden Jesus* und des *verleugnenden Jüngers* zu schaffen.[3] Während sich Jesus offen als leidender Messias/Menschensohn bekennt, sagt sich Petrus von ihm los (vgl. 14,26-31), weil er weder an den leidenden Christus glauben noch die geforderte Leidensnachfolge vollziehen will (vgl. 8,27-38).[4]

b) Gehört 14,54b.66b-72 zur ursprünglichen Passionsgeschichte?
Diese Frage stellt sich sofort als Konsequenz der obigen Untersuchung. Hat erst Mk die Verleugnungsgeschichte mit der Passionsgeschichte verbunden? Oder gehört die Erzählung von jeher fest zum Passionsbericht?

Es ist meines Erachtens methodisch unzulässig, diese Frage von Lk 22,54-71 her positiv entscheiden oder mitentscheiden zu wollen. Bei Lk folgt die Verleugnungsgeschichte direkt auf die Verhaftungserzählung; daran schließt sich dann die gegenüber Mk kürzere Synedriumssitzung *am Morgen* (vgl. Lk 22,66) an. Ob sich in dieser Anordnung eine vielfach vermutete lukanische Sondertradition der Passionsgeschichte[5] zeigt, bleibt weiterhin unsicher. Keineswegs kann Lk 22,54-71 als spannungsloser, gegenüber Mk ursprünglicherer literarischer Zusammenhang angesehen werden.[6] Vielmehr ist die lukanische Fassung des Erzählzusammenhanges ungezwungener als Umformung des markinischen Berichtes zu erklären: Lk beseitigt die Ungereimtheiten des Mk (*Nacht*sitzung des Synedriums; *zweite* Sitzung am Morgen: 15,1). Auch apologetische Motive und

---

[3] Vgl. *Lohse* ebd.; *Grundmann* 304; *Gnilka*, Verhandlungen 17; *Schneider*, Szene 35.

[4] Vgl. *Schenke*, Studien 348ff.

[5] Vgl. dazu zuletzt *Schneider*, Verleugnung.

[6] Vgl. *Klein*, Verleugnung 295.

theologische Aspekte kommen dabei zum Zuge.[7] Von Lk her ist
also nicht zu klären, ob die Verleugnungsgeschichte ursprünglich
zum Passionsbericht, etwa als Fortsetzung der Verhaftungsszene,
gehört hat.[8]

Ebenso unzulässig ist es, von Lk 22,31f her eine negative Entscheidung unserer Frage gewinnen zu wollen.[9] Ob Lk 22,31f eine traditionsgeschichtlich ältere Konkurrenztradition zur Verleugnungsgeschichte ist, die von einem »Fall« des Petrus noch nichts weiß und
damit die relativ späte Entstehung der Verleugnungtradition beweist, bleibt unsicher. Hierzu wäre genauer zu prüfen, ob Lk 22,31f
tatsächlich ein echtes Jesuswort ist und sich ursprünglich auf die in
der Passion Jesu geschehene Anfechtung der Jünger bezogen haben
muß.[10] Schon Lk hat außerdem die Konkurrenz von 22,31f zu
22,33f.55-62 offenbar nicht mehr empfunden. Warum sollten nicht
auch vor ihm beide Traditionen nebeneinander existiert haben können, zumal die Verleugnungtradition wegen ihres doch wohl positiven Ausgangs in Mk 14,72/Lk 22,62 keineswegs in völliger Spannung zu Lk 22,31f stehen muß?

Die oben gestellte Frage ist daher allein aus dem Zusammenhang
der markinischen Passionsgeschichte zu beantworten. Die einfachste
Lösung, die Verleugnungsgeschichte sei deshalb ursprünglich, weil
ja die *Synedriumsverhandlung* den Zusammenhang der Verleugnungsgeschichte unterbreche und sich als gänzlich sekundär erweisen
lasse, verbietet sich aufgrund einer eingehenden Analyse dieses Stük-
kes (s. u.). Daß die Verleugnungsgeschichte einmal als ganze auf
die Synedriumsverhandlung gefolgt ist, dürfte völlig auszuschließen
sein. Dann wäre nämlich nur schwer zu erklären, warum Mk überhaupt die jetzige Fassung geschaffen haben sollte, indem er V. 54
vor die Synedriumsverhandlung stellte.

So bleibt nur noch zu prüfen, ob die Verleugnungsgeschichte in der
vormarkinischen Passionsgeschichte einmal direkt auf die Verhaftung gefolgt ist und sich die Synedriumsverhandlung erst an die

---

[7] Vgl. dazu *Finegan*, Überlieferung 23f; *Linnemann*, Studien 97ff; *Schubert*, Kritik 425f.

[8] Gegen *Bultmann*, GST 290; *Schneider*, Verleugnung 28f.

[9] So *Klein*, Verleugnung 298ff.

[10] Vgl. dazu *Linnemann*, Studien 72ff.

Verleugnung angeschlossen hat. Erst Mk hätte dann durch die Umstellung der Szenen das kontrastreiche Doppelbild geschaffen. In der Tat scheint sich so ein guter Erzählzusammenhang zu ergeben: nach der Gefangennahme wird Jesus zum Hohenpriester gebracht (V. 53); dort bleibt er offenbar in Gewahrsam bis zur Verhandlung am Morgen (V. 72); inzwischen verleugnet Petrus, der von ferne gefolgt ist, dreimal den Herrn (V. 54.66-72); nach der Verhandlung wird Jesus direkt an Pilatus überstellt (15,1b).

Bei genauerem Zusehen jedoch ergeben sich auch bei dieser Erzählfolge einige Spannungen:

(a) Während 14,54 ausdrücklich von »Dienern« (ὑπηρέται) spricht, wird in 14,43 von einer »Volksschar . . . von den Hohenpriestern her« (ὄχλος . . . παρὰ τῶν ἀρχιερέων), in 14,47 vom »Knecht des Hohenpriesters« (δοῦλος τοῦ ἀρχιερέως) gesprochen.

(b) Auch wenn V. 53b redaktionell ist (s. u.), bleibt doch die Frage offen, was mit Jesus in der Zwischenzeit bis zur Verhandlung geschieht. V. 53 drängt auf eine erzählerische Fortsetzung. Es ist schwer denkbar, daß diese erst *nach* der Verleugnungsgeschichte folgte.

(c) Das Nachfolgen des Petrus steht in Spannung zu 14,50.51f, von denen sicher V. 50 traditionell ist (s. u.).

(d) Warum Petrus »von ferne« folgt, obwohl er sich nachher dann doch unter den Dienern aufhält, kann nur von 14,47f.51f her einigermaßen verständlich gemacht werden. Gleichwohl wird hier eine Spannung erkennbar: einerseits sind die Jünger von Waffen bedroht und müssen fliehen, andererseits kann es Petrus dann doch einige Zeit unter den Dienern aushalten.

(e) Für das Nachfolgen des Petrus wird kein Motiv gegeben. Das wäre vor allem dann zu erwarten, wenn es sich bei der Verleugnungsgeschichte um den Teil einer größeren Erzählung handelt.

Es ist zuzugeben, daß diese Spannungen nicht notwendig fordern, die Verleugnungsgeschichte aus dem Passionszusammenhang zu eliminieren. Andererseits ist aber ebenso zuzugeben, daß der Erzählzusammenhang ohne die Verleugnungsgeschichte (14,43-52.53.55-65; 15,1) nach Abzug redaktioneller Elemente durchaus organisch wäre. Hinzu kommt die Beobachtung, daß anders als im ganzen übrigen Passionsbericht in der Verleugnungsgeschichte nicht Jesus selbst und sein Geschick im Mittelpunkt des Erzählinteresses stehen, sondern die Gestalt des Petrus und sein Versagen. Für das Schicksal Jesu hat dieses Versagen keine direkten Folgen. Sodann wird nirgends berichtet, wo Petrus geblieben ist.[11] Auch diese Spannungen zur übrigen Passionsgeschichte müssen beachtet werden. Es spricht daher viel dafür, daß die Verleugnungsgeschichte kein primäres Element des vormarkinischen Passionsberichtes ist.

c) Kann 15,54b.66b-72 als isolierte Einzeltradition verständlich gemacht werden?

Von der Beantwortung dieser Frage ist die endgültige Lösung des obigen Problems abhängig. Zunächst ist festzustellen, daß bei einer formgeschichtlichen Betrachtung der Verleugnungsgeschichte vom Mk-Bericht auszugehen ist. Linnemann hat mit Recht gegen Klein[12] nachgewiesen, daß der lukanische Bericht von Mk abhängig ist. Ihre Argumente sollen hier nicht wiederholt werden.[13]

Die markinische Fassung dürfte im ganzen als ursprünglich anzusehen sein. Der dreistufige Aufbau ist künstlich und dient der Steigerung. Eine psychologisierende Betrachtung verbietet sich von selbst. Auch der in V. 68 angedeutete Ortswechsel ist nicht psychologisch zu deuten, sondern von seiner Funktion in der Erzählung her: »Er motiviert die abermalige Feststellung durch die gleiche Person« (Linnemann). Petrus wird in dreifacher Weise identifiziert: als einer, der »mit dem Nazarener, dem Jesus« war, als einer »von ihnen« und als »Galiläer«. Darin könnte sich der »Sitz im Leben« des Stückes andeuten, insofern die zweite und dritte Kennzeichnung wohl für viele Mitglieder der nachösterlichen Urgemeinde gelten können. Sekundär und redaktionell dürfte in V. 72 das εὐθὺς ἐκ δευτέρου (sofort zum zweitenmal) sein, das in zahlreichen Handschriften die Ergänzung καὶ ἀλέκτωρ ἐφώνησεν (und es krähte ein Hahn) in V. 68 hervorgerufen hat; ebenso das δίς (zweimal) in V. 72b. In beiden Fällen scheint die Absicht die zu sein, den Abfall des Petrus dadurch zu steigern, daß er nicht ungewarnt den Herrn

---

[11] Vgl. *Bultmann*, GST 299f.

[12] Verleugnung 291.

[13] *Linnemann*, Studien 99ff; vgl. schon *Finegan*, Überlieferung 23f; *Schneider*, Verleugnung 73-96.

verleugnet. Daß in V. 72 das Jesuswort vollständig und wörtlich zitiert wird, verstärkt den Eindruck, daß die Erzählung einmal selbständig überliefert wurde.

Die Erzählung will keinen historischen Bericht bieten.[14] Daß allerdings das berichtete Ereignis unhistorisch sei, ist wiederum auch nicht glaubhaft.[15] Hinter dem Bericht dürfte ein Faktum stehen, da man ein solches Versagen dem Petrus schwerlich ohne Grund nachgesagt hat. Ob die Gemeinde darüber allerdings durch die Selbstaussage des Petrus weiß, muß offenbleiben.[16] Ganz unwahrscheinlich aber ist, daß Petrus selbst der Autor der Erzählung ist.

Die Aussageabsicht der Erzählung dürfte in der Paränese liegen. Der christliche Hörer soll aus dem Beispiel des Petrus lernen: wie dieser nach dreimaligem Verleugnen des Herrn reuevoll umkehrt (V. 72),[17] so auch der angefochtene Christ. Ihren »Sitz im Leben«[18] dürfte das Stück in der Situation haben, daß die Mitglieder der Jerusalemer Gemeinde wegen ihres Bekenntnisses zum gekreuzigten Messias Jesus durch Denunziationen und Anzeigen an die Behörde seitens ihrer Mitbürger angefochten wurden. Die in dieser Situation

---

[14] Vgl. *Klein*, Verleugnung 307ff.

[15] Gegen *Klein*, Verleugnung 311.

[16] So *Dibelius*, FG 217; *Lohmeyer* 333.

[17] Zu χλαίω als Ausdruck tiefer Scham und Reue vgl. Lk 6,25; 7,38; Offb 18,9; vgl. ThWNT III 722.

[18] Eine phantastische Erklärung der Entstehung der Erzählung bietet *Klein*, Verleugnung 312ff: sie reflektiere den aus der Tradition erkennbaren *dreifachen* Positionswechsel des Petrus, der nacheinander dem *Zwölferkreis*, der Gruppe der *Apostel* und dem Kreis der *»Säulen«* angehört habe. Mit diesem Positionswechsel sei ein jeweiliger (opportunistischer) Richtungswechsel verbunden gewesen, was »grimmiges Ressentiment in solchen Kreisen erwecken mußte, die gegen ihn eingestellt waren« (324).
Gegen Klein ist ein Dreifaches einzuwenden:
— Die Dreizahl der Verleugnungen kann als Stilmittel begreiflich gemacht werden. Kleins historischer Konstruktion bedarf es dazu also nicht.
— Welche Partei sollte Petrus für *alle drei* Positionswechsel Vorwürfe machen?
— Die Erzählung endet mit der Erwähnung der Reue in V. 72 durchaus *positiv* für Petrus.

schwach gewordenen und abgefallenen Christen werden mit dem Beispiel des Petrus gemahnt, reuevoll umzukehren.[19] Für diese Lösung spricht, daß Petrus zweimal (V. 69.70) als einer »von ihnen« angesprochen wird, das heißt als Glied der Gemeinde der Christen. In dieser Kennzeichnung könnte sich die nachösterliche Situation spiegeln.

Damit erweist sich die Verleugnungsgeschichte als in sich geschlossene und eigenständige Einzelerzählung, die nicht zur vormarkinischen Passionsgeschichte gehört haben kann. Ihre ursprüngliche Einleitung besitzt sie in V. 54b (s. o.). Möglich ist, daß Mk, als er die Erzählung in den Passionsbericht einfügte, eine ursprüngliche Zeitangabe aus der Einleitung weggebrochen hat, die davon berichtete, daß die Verleugnung in der Nacht geschah, in der Jesus gefangengenommen wurde. Diese Situation wird für die Erzählung auch durch das Jesuswort V. 72 vorausgesetzt. Die Erzählung bezieht sich also durchaus auf die Passion Jesu; diese bildet ihren Hintergrund. Gleichwohl gehört sie nicht zur »Passionsgeschichte« selbst. Von vornherein ist ja vielmehr zu erwarten, daß der letzte Aufenthalt Jesu in Jerusalem traditionsbildend gewirkt hat. Davon zeugen auch die traditionellen Einzelstücke Mk 11,1-33; 14,3-9; 14,13-16; 16,1-8, in deren Kreis also auch die Verleugnungsgeschichte gehört.

d) Ergebnis

Erst Mk hat die Verleugnungsgeschichte 14,54.66-72, die er als ursprünglich selbständige, aber auf die Passion Jesu bezogene Einzelgeschichte vorfand, mit der Synedriumsszene 14,53.55-65 eng verknüpft und dadurch ein kontrastreiches Doppelbild geschaffen, in dem der bekennende Jesus und der verleugnende Jünger einander gegenüberstehen. Durch die so betonte *Gleichzeitigkeit* von Synedriumsverhör und Petrusverleugnung wird die Verhörszene nun in die Nacht verlegt. In 15,1a schafft Mk darum eine Überleitung, mit der das Pilatusverhör angeschlossen werden kann. Ursprünglich wird erzählt worden sein, daß das Synedriumsverhör am Tage stattgefunden hat. Auch daß 14,53.55-65 im Hause des Hohenpriesters

---

[19] Vgl. *Schneider*, Verleugnung 42; *ders.*, Passion 77.

spielt, geht erst aus 14,54.66-72 hervor. Ursprünglich dürfte ganz selbstverständlich vorausgesetzt sein, daß die Verhörszene im Gebäude des Synedriums stattfand.

2. Die Verhörszene 14,53.55-65 [*]

a) Der Forschungsstand

Die Beurteilung des Berichts vom Synedriumsverhör 14,53.55-65 durch die kritische Exegese ist außergewöhnlich vielfältig und unterschiedlich. Sie reicht von großer Zuversicht in die historische Treue der Erzählung (Jeremias,[1] Kümmel,[2] Blinzler) über den Versuch, aus ihr einen Urbericht zu rekonstruieren (Schneider), bis hin zu ihrer gänzlichen Zuweisung an die markinische Redaktion (Lietzmann, Dibelius,[3] Winter,[4] Schulz[5]).

(1) Ein Grund für die in ihren Ergebnissen außerordentlich differierende Forschungssituation, die hier nur angedeutet, keineswegs erschöpfend dargestellt werden kann, sind die zahlreichen historischen Probleme, die durch die Erzählung aufgeworfen werden.[6] Die aus dem Bericht zu erhebende Verhandlungsführung, die gegen Jesus vorgebrachten Anklagen und seine daraufhin erfolgende Verurteilung geben zu den schwersten Bedenken gegen die historische Zuverlässigkeit des Berichtes Anlaß, wenn man ihn mit dem zur Zeit Jesu geltenden jüdischen Prozeßrecht vergleicht. Zahlreiche Forscher sehen sich daher gezwungen, die Historizität des Berichtes in Frage zu stellen.[7] Von diesen historischen Bedenken gegen die Erzählung her erscheinen ihnen literarkritische Schlußfolgerungen als ganz

---

[*] Lit.: *Lietzmann*, Prozeß 251-263; *Blinzler*, Prozeß 139-244 (Lit.); *Linnemann*, Studien 109-135; *Schneider:* NovT 12 (1970) 22-39.

[1] ZNW 43 (1950/51) 145-150.

[2] Verheißung 43f.

[3] FG 214f.

[4] ZNW 53 (1962) 260-263.

[5] Stunde 131.

[6] Vgl. dazu *Blinzler*, Passion 139-244. — Zur Lit. vgl. *Bultmann*, GST Erg. Heft 98f.

[7] Vgl. dazu *Lietzmann*, Prozeß 251ff; *ders.*, Bemerkungen II, 269ff; *Winter:* ZNW 53 (1962) 260-263; *Burkill*, Revelation 282f; *Lohse*, Geschichte 75ff; *Schneider*, Passion 60f.

naheliegend, daß nämlich die Erzählung ein nachösterliches, spätes Gebilde und erst sekundär in den Passionskontext eingefügt worden sei.

Aber auch diejenigen Forscher, die umgekehrt die Erzählung für historisch durchaus getreu halten,[8] leiten von diesem *historischen* Urteil literarkritische Folgerungen ab. Überblickt man die exegetischen Bemühungen um dieses Stück, so muß man feststellen, daß bei ihm wie bei keinem anderen Text die historische Fragestellung im Vordergrund steht und die Auslegung bestimmt, einmal ganz abgesehen davon, welche apologetischen und dogmatischen Vorentscheidungen den einzelnen Ausleger sonst noch a priori beherrschen. Die Sachkritik beherrscht bei diesem Stück die Literarkritik.

Dieses Verfahren ist methodisch unzulässig. Es setzt voraus, was erst zu beweisen wäre, daß nämlich die ursprüngliche Passionsgeschichte ein historisch in allem verifizierbarer Bericht sei, aus dem alles, was als historisch unzuverlässig oder wenig wahrscheinlich zu gelten hat, als sekundär auszuscheiden ist. Die literarkritische Frage nach der Integrität der Synedriumsverhandlung und seiner Zugehörigkeit zur ältesten Passionsgeschichte ist aber nicht von dem her zu entscheiden, was historisch möglich gewesen ist, sondern von der Intention und Aussageabsicht derjenigen her, die die Passionsgeschichte gebildet und tradiert haben. Die Frage nach dem Verhältnis des Berichtes zur historischen Wirklichkeit darf erst am Ende der zuerst am Text orientierten Auslegung stehen.

(2) Ein anderer Grund für die vielfältigen Lösungsversuche der Probleme von 14,53.55-65 ist der lukanische Bericht Lk 22,54-71. Er bietet eine andere Reihenfolge der Ereignisse, die die historischen Schwierigkeiten verringert, und enthält innerhalb des Berichtes über das Verhör vor dem Hohenpriester (Lk 22,66-71) weniger historisch fragwürdige Einzelzüge als der markinische Bericht. Sieht man hinter dem lukanischen Bericht eine von Mk unabhängige Passionstradition, dann scheinen sich von ihr her Kriterien für literarkritische Operationen an der markinischen Fassung ableiten zu lassen. Es ergibt sich dann, daß nicht die Verleugnungsgeschichte, sondern

---

[8] *Jeremias:* ZNW 43 (1950/51) 145ff; *Kümmel*, Verheißung 43f; *Blinzler*, Prozeß 73ff; vgl. zuletzt *Schubert*, Kritik 421ff.

die Verhörszene den ursprünglichen Erzählzusammenhang stört und darum sekundär ist.[9] Sie könnte ursprünglich aus der Notiz Mk 15,1 entwickelt worden sein.[10] Dann würde sich für die vormarkinische Quelle eine dem lukanischen Bericht ganz ähnliche Fassung ergeben, in der keine ausführliche nächtliche Gerichtsverhandlung vor dem Synedrium, sondern nur eine relativ kurze Notiz über ein am Morgen stattfindendes »Vorverhör« Jesu vor dem Synedrium enthalten war.[11]

Aber auch diese Lösungsversuche nehmen ihren Ausgangspunkt bei historischen Argumenten. Die Frage nach einer lukanischen Sondertradition für die Passionsgeschichte kann aber wohl erst dann befriedigend geklärt werden, wenn der markinische Bericht literarkritisch und traditionsgeschichtlich untersucht ist. Vorschnell den Mk-Bericht aus Lk zu erklären, schafft methodische Unsicherheiten. Von unserer obigen Untersuchung zur Verleugnungsgeschichte her muß jedenfalls die lukanische Reihenfolge der Ereignisse als lukanische Bearbeitung des markinischen Berichtes angesehen werden. Dort ergab die literarkritische und formgeschichtliche Analyse, daß die Verleugungsgeschichte nicht primärer Teil der Passionsgeschichte gewesen sein kann. Die ursprüngliche Reihenfolge der Einzelszenen des Passionsberichtes ist also nicht bei Lk zu suchen, sondern mit literarkritischen Mitteln hinter dem markinischen Bericht.

(3) Ein dritter Grund schließlich für die Verschiedenheit und Vielfalt der Versuche, die Probleme von 14,53.55-65 zu lösen, liegt in den zahlreichen literarischen Spannungen der Erzählung selbst und in ihrem parallelen Aufbau zu 15,2-5. Beides scheint nahezulegen,

---

[9] Vgl. *Bultmann*, GST 290; *Sundwall*, Zusammensetzung 81f; *Lietzmann*, Prozeß 254; *Schneider*, Passion 57.

[10] *Bultmann*, GST 290f.

[11] Diese Auffassung ist zuletzt von *Schneider*, Szene 37f, eingehender begründet worden. Sein Ergebnis lautet: Mk und Lk lag eine Verhörszene in wesentlich gleicher Gestalt vor (Messiasfrage und zustimmende Antwort Jesu). Beide Evangelisten haben diese Szene redaktionell bearbeitet, Mk, indem er sie an die Verleugnungsszene anglich (S. 34f), Lk, indem er für 22,69-71 die Mk-Vorlage übernahm.

für 14,53.55-65 eine umfangreiche redaktionelle Überarbeitung,[12] ja eine sekundäre Angleichung an die Pilatusszene annehmen zu können.[13] Ohne Zweifel ist der Ansatz dieser Versuche bei den Spannungen des Textes methodisch richtig. Den Spannungen werden auch wir uns im folgenden zuwenden; doch muß dabei der oft begangene Fehler vermieden werden, zu schnell auf redaktionelle Eingriffe des Evangelisten zu rekurrieren, ohne die traditionsgeschichtliche Frage ausreichend diskutiert zu haben. Freilich haben wir in 14,53.55-65 ein auch für den Redaktor Markus sehr wichtiges Stück vor uns, doch besagt das noch nichts über mögliche redaktionelle Eingriffe des Evangelisten.

Der knappe Überblick über den augenblicklichen Forschungsstand[14] zur Verhörszene vor dem Synedrium zeigt, daß es trotz der vielfältigen Versuche, den Problemen der Erzählung beizukommen, nicht möglich ist, bei einem von ihnen unseren eigenen Ausgangspunkt zu nehmen. Zu sehr sind die Auslegungsversuche von Gesichtspunkten und Argumenten beherrscht, die außerhalb der Perspektive des Textes selbst liegen. Wir müssen uns daher im folgenden erneut und intensiv diesem zuwenden und ihn auf Spannungen, Tendenzen und Intention hin befragen.

b) Die Analyse von 14,53.55-65

(1) Spannungen

(a) In V. 53a wird vom Hohenpriester gesprochen, als gäbe es nur einen (vgl. V. 60.61.63); V. 53b.54a (vgl. 14,1.10.43; 15,1.10f.31) dagegen scheinen mehrere Hohenpriester zu kennen oder fassen unter dem Begriff »die Hohenpriester« andere Personen, deren Verhältnis zum »Hohenpriester« in V. 53a.60ff nicht geklärt wird.

---

[12] Vgl. *Dibelius,* FG 214f; *Linnemann,* Studien 109ff; für gänzlich redaktionell halten die Erzählung *Winter:* ZNW 53 (1962) 260-263; *Schulz,* Stunde 131.

[13] Vgl. *Wendling,* Entstehung 178ff; *Norden,* Agnostos Theos 195ff; *Braumann:* ZNW 52 (1961) 278f; *Gnilka,* Verhandlungen 14ff.

[14] Vgl. auch die Überblicke bei *Linnemann,* Studien 110ff; *Schneider,* Szene 23ff.

(b) V. 56 erweist sich durch das γάϱ (denn) als Begründung von V. 55b. Dann aber ist das ἐψευδομαϱτύϱουν (Falschzeugnis geben) unmotiviert, denn es gibt nicht den Grund an, warum das Synedrium keine todeswürdige Anklage findet. Dieser liegt vielmehr darin, daß die vorgebrachten Zeugnisse nicht übereinstimmen.

(c) Nach dem summarischen V. 56 folgen V. 57-59 ganz unerwartet.

(d) V. 59 wiederholt V. 56b für den speziellen Fall, wirkt aber an dieser Stelle fehl am Platze, weil nach V. 57f die Zeugen doch offenbar einmütig ausgesagt haben. Worin ihre Aussagen voneinander abweichen, wird jedenfalls aus V. 57f nicht deutlich.

(e) In V. 58 wird ein Anklagepunkt wörtlich und ausdrücklich angeführt, der zwar in 15,29, nicht aber in der weiteren Verhandlungsszene selbst eine Rolle spielt.

(f) V. 60 schließt durchaus besser an V. 56 an als an V. 57-59.

(g) In V. 61b.62 stehen drei christologische Titel relativ unverbunden nebeneinander: »Christus«, »Sohn des Hochgelobten« und »Menschensohn«. Dieses Nebeneinander dürfte nicht ursprünglich sein, vielmehr scheint sich darin ein sekundäres Anwachsen der Erzählung zu zeigen.

(h) Nach dem betonten Schweigen Jesu in V. 61 ist seine Beredsamkeit in V. 62 auffällig.

(i) Zwischen V. 62a und V. 62b liegt ein Wechsel in den Personen der Angeredeten vor, ohne daß dies eigens deutlich gemacht würde.

(j) V. 62b redet nicht wie V. 62a in der *ersten* Person Singular, sondern in der *dritten*; soll jedoch das Wort als Antwort auf V. 61b sinnvoll sein, muß sich Jesus hier mit dem Menschensohn identifizieren.

(k) In der jetzigen Fassung ist nicht eindeutig, ob die Reaktion des Hohenpriesters in V. 63 sich auf V. 62a oder auf V. 62b bezieht und worin also die Lästerung Jesu eigentlich besteht, in der Bejahung des Messiasanspruchs oder im Menschensohnwort.

(2) Neuere Lösungsversuche

Diese Spannungen des jetzigen Textes fordern eine eingehende literarkritische Untersuchung der Erzählung hinsichtlich ihrer Einheitlichkeit. Linnemann hat zuletzt die älteren literarkritischen Versuche zur Lösung dieser Spannungen kurz dargestellt und kritisch besprochen.[15] Diese Versuche bieten zwei Möglichkeiten an, die Schwierigkeiten des Textes zu lösen: a) entweder ist V. 61bf sekundär und V. 63 schließt ursprünglich an V. 61a an (Wellhausen, Norden, Schweizer); oder b) V. 57-59 ist ein sekundärer Zuwachs, mit dem V. 56 konkretisiert werden soll (Bultmann, Klostermann, Lohse, Taylor, Haenchen).

Im Sinne der zweiten Möglichkeit rekonstruiert jetzt auch *Gnilka*[16] die Synedriumserzählung: V. 57-59 (und V. 62b) sind sekundärer Zuwachs zur ursprünglichen Synedriumsszene, die selbst jedoch wiederum eine sekundäre Nachbildung der Pilatusszene 15,2-5 (s. u.) ist und »im Ja Jesu zur Messiasfrage des Hohenpriesters gipfelt« (S. 12).

Schneider[17] geht in der Ausscheidung sekundärer Elemente aus der jetzigen Erzählfassung noch weiter. Er sieht neben V. 57-59 auch V. 60.61a als sekundär an, weil die so formulierte Frage des Hohenpriesters nach der ausdrücklichen Feststellung der Erfolglosigkeit des Zeugenverhörs (V. 56.59) unmotiviert sei. Auch für V. 55.56 sei die Möglichkeit redaktioneller Herkunft nicht völlig auszuschließen. Damit würde dann das gesamte *Zeugen*verhör aus der Erzählung herausfallen und es »wäre die Möglichkeit gegeben, daß die ältere und gegebenenfalls vormarkinische Verhörszene Jesus lediglich dem Hohenpriester gegenüberstellte« (S. 31). Wegen der indirekten Konstruktion weist Schneider dann noch V. 64bc der Hand des Evangelisten zu. Als ursprüngliche Erzählfassung einer vormarkinischen Verhörszene behält er lediglich die V. 53a. 61b.62.63a.64a übrig. Diese Erzählfassung habe schon eine komplizierte Traditionsgeschichte hinter sich, ehe dann Mk sie kennenlernte und selbst redaktionell überarbeitete.

Diese Analyse überzeugt deswegen nicht, weil nicht klar wird, nach welchen Kriterien Schneider zwischen sekundären und ursprünglichen Elementen der Erzählung scheidet. Es muß der Eindruck entstehen, als suche er nach dem kleinsten gemeinsamen Nenner, der

---

[15] Studien 110-116.
[16] Verhandlungen 11ff.
[17] Szene 29ff; vgl. *ders.*, Passion 57f.

es erlaubt, hinter Mk 14,53.55-65 und Lk 22,66-71 einen gemeinsamen Urbericht anzunehmen. Vom jetzigen Text her ist aber durch nichts nahegelegt, neben V. 57-59 auch das Zeugenverhör V. 55f als sekundär anzusehen. Nach V. 56 ist V. 60.61a dann keineswegs sinnlos, wenn man die Tendenz des Erzählers beachtet. Wer V. 60.61a nach V. 56 für sinnlos und unmotiviert hält, muß dafür historisierend argumentieren. Aber nicht ein vorstellbarer Geschehensablauf kann literarkritische Probleme entscheiden, sondern allein die Frage, ob ein Text eine sinnvolle Erzähleinheit ist. Unter diesem Aspekt steht V. 60f aber nicht in Spannung zu V. 56; er hat vielmehr nun die Funktion, die Frage des Hohenpriesters V. 61b als ultima ratio zu kennzeichnen und damit den Höhepunkt der Erzählung herbeizuführen.

Auch der Lösungsversuch *Linnemanns* (s. o.) geht von einer nur vermeintlichen Spannung im jetzigen Text aus: »Das Motiv des Schweigens Jesu V. 61a wird durch die nachfolgende Frage des Hohenpriesters und die dadurch herausgeforderte Antwort Jesu um seine Wirkung gebracht« (S. 110). Ursprünglich muß vielmehr das Schweigemotiv am Schluß der Perikope gestanden haben. Von dieser Überlegung her löst Linnemann aus dem jetzigen Text als erstes eine Perikope A heraus, die mit dem Schweigen Jesu geschlossen und wohl folgenden Bestand gehabt habe: V. (55)57.58.61b.60b.61a. Auch die in dieser Perikope A nicht enthaltenen Züge des jetzigen Textes ergeben zusammen eine sinnvolle Erzähleinheit, die Perikope B: V. 55.56.60a.61c.62.63.64. Sie berichtet von der Verurteilung Jesu *als Messias* (S. 127ff). Mk erst habe beide in der Überlieferung isoliert umlaufenden Erzählungen zu einem Bericht zusammengestellt und dabei geringfügige Auslassungen, Umstellungen und Ergänzungen vorgenommen (S. 130f).

Das Anliegen der Perikope A sei, daß Jesus »auf die ungeheuerliche Beschuldigung mit Schweigen« antwortet. »Er verzichtet darauf, sich zu rechtfertigen — entgegen der dem Menschen zutiefst eingewurzelten Grundhaltung, nach Gerechtigkeit zu schreien, falsche Beschuldigungen nicht erleiden zu können und zu wollen. Er tut seinen Mund nicht auf, wie das Lamm vor seinem Scherer verstummt. Er ist bereit, das Leiden auf sich zu nehmen« (S. 132).

Das Anliegen der Perikope B »ist es offenbar, zu zeigen, daß keine andere Schuld an Jesus zu finden war, als daß er der Christus ist, d. h. daß er um dessentwillen verurteilt wurde, was doch in Wahrheit Grund höchster Verehrung ist« (S. 133).

Linnemanns Rekonstruktion ist nicht völlig neu[18] und keineswegs überzeugend. Schon ihre Voraussetzung, daß das Bekenntnis Jesu in V. 62 das Schweigemotiv in V. 61a um seine Wirkung bringt und also dazu in Spannung steht, muß bestritten werden. Das Schweigen Jesu zu den gegen ihn vorgebrachten (falschen!) Anklagen hat auch dann noch seine Wirkung, wenn er sich in V. 62 offen dazu bekennt, der Messias zu sein. Linnemann überbewertet und verabsolutiert das Schweigemotiv. Zwar hat das Motiv im jetzigen Text theologische Bedeutung, doch unverkennbar ist auch sein funktionaler, auf den Höhepunkt der Erzählung hinführender Charakter: es nötigt den Hohenpriester, die *entscheidende* Frage zu stellen. Keineswegs aber kann es selbst schon als Pointe des Stückes gelten. Beachtet man dies, dann bleiben Linnemanns weitere Überlegungen ohne rechte Überzeugungskraft.

Gegen ihre Lösung spricht auch, daß sie V. 59 ohne ausreichenden Grund als markinisch ausgeben muß, obwohl dieser Vers deutlich mit V. 57 zusammen von V. 56 abhängig ist und V. 58 einrahmt, daß sie ohne echte Kriterien Umstellungen im jetzigen Text vornehmen muß, daß sie ihre beiden Perikopen nicht vollständig im jetzigen Text wiederfinden kann, sondern auseinander ergänzen muß und daß sie anzunehmen gezwungen ist, *beide* Erzählungen hätten unabhängig voneinander das Motiv der Falschzeugen aus den Leidenspsalmen entnommen. Wie unsere Analyse zeigen wird, ist jedenfalls eine einfachere Lösung der Probleme des Textes möglich, die an der grundsätzlichen Einheitlichkeit der jetzigen Erzählung festhalten und die Spannungen aus der Traditionsgeschichte des Stückes erklären kann.

---

[18] Schon *Hirsch*, Frühgeschichte I 163, hat ähnlich rekonstruiert: MkI: V. 55.57.58.59 . . . 60.61a . . . 65; MkII: V. 55.56.61b-64.65. »Ein Bericht, der Zeugnisse gegen Jesus mißglücken und Jesus schweigen, die Verhandlung somit scheitern läßt, ist umgeschrieben in einen, in dem Jesus sich als Messias bekennt und deshalb als Lästerer zum Tode verurteilt wird.«

(3) Die Analyse

(a) Da Mk für die Einfügung der Verleugnungsgeschichte in den Passionskontext verantwortlich ist, ist damit zu rechnen, daß er auch in V. 53.54 eingegriffen hat. In V. 53a, der V. 43 aufgreift, dürfte allerdings die ursprüngliche Überleitungsnotiz von der Gefangennahme Jesu zur Verhörszene vorliegen: Jesus wird zum Hohenpriester gebracht. Im weiteren Verlauf der Szene spielt dieser dann erwartungsgemäß eine bedeutsame, führende Rolle. Auffällig ist aber, daß dies nur in dieser Szene der Fall ist und sonst nicht mehr in der gesamten Passionsgeschichte. Dort sind es vielmehr stets die *Gruppe* der Hohenpriester und andere, die für das Schicksal Jesu verantwortlich gemacht werden (14,1.10.43.55; 15,1.3.10. 11.31; vgl. 8,31; 10,33; 11,18.27). Wer mit der Bezeichnung »die Hohenpriester« gemeint ist, ob nur die Mitglieder der hohenpriesterlichen Familie oder auch höhere Tempelbeamte,[19] wird aus dem Mk-Text nicht deutlich. Es muß daher zumindest gefragt werden, ob nicht auch sonst im Passionskontext ursprünglich nur vom ἀρχιερεύς (Hoherpriester) gesprochen worden ist. Das ist vor allem an den Stellen zu erwarten, wo neben den Hohenpriestern noch »das ganze Sznedrium« genannt wird (14,55; 15,1). Die Verwendung dieses Ausdrucks ist nur dann recht sinnvoll, wenn nicht schon mit »die Hohenpriester« eine Gruppe dieses Synedriums vorweg genannt wird. Vor allem in 15,1 aber ist der Sprachgebrauch jetzt äußerst schwerfällig (οἱ ἀρχιερεῖς μετὰ τῶν πρεσβυτέρων καὶ γραμματέων καὶ ὅλον τὸ συνέδριον) und tautologisch, denn man fragt sich, was die formelhafte Wendung »das ganze Synedrium« noch sagen soll, wenn schon zuvor alle Gruppen erwähnt sind, die dieses Synedrium bilden. Hier ist daher in der Tat ein ursprüngliches »der Hohepriester und das ganze Synedrium« wohl durch den Evangelisten verändert worden.

Das dürfte dann auch für 14,55 gelten; ursprünglich wird dort ebenfalls »der Hohepriester aber und das ganze Synedrium« gestanden haben. Das entspricht völlig der folgenden Szene, wo der *Hohepriester* und das *Synedrium* als Gerichtsgremium vorausgesetzt werden (vgl. 14,60.61.63.64). Mk ist also wie in 15,1 so auch

---

[19] Vgl. dazu ThWNT III 271.

hier für den Plural »die Hohenpriester« verantwortlich. Ob er diesen Plural auch in 15,3.10.11.31 eingeführt hat, muß zunächst offenbleiben, ist aber möglich.

Wie in 15,1[20] dürfte der Evangelist auch für die Nennung der Gruppen des Synedriums in 14,53b verantwortlich sein. Dieser Versteil steht wegen des Plurals »die Hohenpriester« in Spannung zu V. 53a. Vor allem, wenn V. 55 ursprünglich direkt auf V. 53 folgte, fällt V. 53b wegen seiner Schwerfälligkeit auf, zumal in V. 55 ja das »ganze Synedrium« wiederum genannt wird. Daß das Synedrium »zusammenkommt«, braucht dann gar nicht erzählt worden zu sein. Erst der Evangelist, der V. 53a von der Verhörszene abtrennte und vor die Einleitung der Verleugnungserzählung (V. 54) setzte, mußte die Notwendigkeit einer erzählerischen Ausgestaltung empfinden. Da συνέρχομαι (zusammenkommen) nur noch an den redaktionellen Stellen 3,20; 6,33 vorkommt, erhärtet sich das Urteil, daß V. 53b markinisch ist.

(b) Ein deutlicher Bruch in der Erzählung liegt in V. 57 vor. Nachdem V. 55.56 allgemein davon berichtet haben, daß keine todeswürdige Anklage gegen Jesus gefunden werden konnte, weil die Zeugen sich widersprachen, bringt V. 57ff nun ganz unerwartet noch ein neues, konkretes Zeugnis gegen Jesus. Daß es sich dabei um einen sekundären Einschub handelt, geht schon daraus hervor, daß die eigentliche Anklage in V. 58 durch zwei Bemerkungen (V. 57.59) gerahmt wird, die ganz offensichtlich aus V. 56 gewonnen wurden; V. 57 wiederholt fast wörtlich V. 56a, V. 59 aber V. 56b.[21] Hinzu kommt, daß der Gedanke von V. 56b durch seine mechanische Wiederholung in V. 59 »in völligen Widersinn verkehrt wurde, denn wenn das Zeugnis wörtlich angeführt und noch dazu im Singular davon gesprochen wird (μαρτυρία), so kann doch von Ungleichheit keine Rede sein«[22]. Es wäre nun aber ein methodischer Fehler, nur V. 59 für sekundär halten zu wollen, V. 57f aber für ursprünglich;

---

[20] Auch 14,1.10.43; 11,18 gehen wohl in ihrer jetzigen Fassung auf den Evangelisten zurück.
[21] So schon *Wendling*, Entstehung 173; *Bultmann*, GST 291; *Gnilka*, Verhandlungen 12.
[22] *Wendling* ebd.; vgl. *Dibelius*, FG 192; *Lohmeyer* 327.

V. 57-59 bilden vielmehr im jetzigen Text eine Einheit, und die Hand, die für V. 59 verantwortlich ist, hat auch V. 57f geschaffen.[23]

Auch zwischen V. 57ff und V. 60 besteht eine Spannung, denn obwohl in V. 58 Jesus eine todeswürdige Lästerung gegen den Tempel nachgesagt wird, spielt diese bei der Verurteilung Jesu dann doch keine Rolle. Auch stellt der Hohepriester weder die Wertlosigkeit des Zeugnisses (vgl. V. 59) ausdrücklich fest, noch aber wertet er das Schweigen Jesu in V. 61a als Eingeständnis.[24] V. 60f fährt vielmehr so fort, wie V. 55f eigentlich erwarten läßt. Die Frage des Hohepriesters und das Schweigen Jesu sollen dann wohl in der Absicht des Erzählers die große Verlegenheit des Synedriums verdeutlichen: es hat keine Handhabe, gegen Jesus vorzugehen. Damit wird der eigentliche Höhepunkt des Verhörs V. 61bf vorbereitet, der dann zeigt, daß Jesus wegen keines anderen Vergehens als dem, der Messias zu sein, zum Tode verurteilt worden ist.

Die Verse 57-59 lassen sich also als ein von einer Hand stammender sekundärer Einschub in die Verhörszene erweisen; diese fuhr ursprünglich nach V. 56 mit V. 60 fort. Es stellt sich nun die wichtige Frage nach der Herkunft dieses Einschubs: wann und durch wen sind die Verse 57-59 in die Verhörszene eingefügt worden und welches Interesse zeigt sich darin? Demgegenüber ist weniger wichtig, ob wir es beim Tempelwort mit einem echten Jesuswort zu tun haben.

Allerdings läßt sich V. 58b leicht von seinen Rahmenversen V. 57.58a.59 ablösen und als isoliertes Logion wahrscheinlich machen, das ursprünglich ohne Anhalt an der Passionsgeschichte über-

---

[23] Gegen *Linnemann*, Studien 128; *Schweizer* 188.

[24] Das ist *Wellhausens* (S. 131ff) Lösung: er nimmt an, auf V. 61a sei ursprünglich V. 63 gefolgt; V. 61b-62 sei dagegen sekundärer Einschub. Nur V. 58 biete mit dem Wort gegen den Tempel eine *legale* Todesschuld; der Messiasanspruch Jesu sei dagegen nach jüdischem Recht unmöglich eine Gotteslästerung und daher auch nicht der eigentliche Grund für die Verurteilung Jesu durch das Synedrium gewesen. Die Lösung Wellhausens ist von *Norden*, Agnostos Theos 195ff, und neuerdings wieder von *Schweizer* 187f übernommen worden. — Gegen die Verquickung von Sach- und Literarkritik bei Wellhausen vgl. schon *Bultmann*, GST 291.

liefert wurde.[25] Dafür spricht auch die Breite der neutestamentlichen Bezeugung eines solchen Wortes (vgl. Mk 13,2; 15,29; Mt 26,61; 27,40; Joh 2,19; Apg 6,14). Von diesen Stellen sind wohl Mk 13,2[26]; 15,29 (s. u.) und Mt 26,61; 27,40 eindeutig von Mk 14,58b abhängig, aber auch gegenüber Joh 2,19 und Apg 6,14 dürfte Mk 14,58b zumindest als ursprünglichere Fassung des Wortes zu gelten haben,[27] wenn nicht sogar auch dort Abhängigkeit von Mk 14,58b vorliegt.[28] Traditionsgeschichtlich ist also doch wohl von der markinischen Fassung des Wortes auszugehen.

Dann ist aber sofort deutlich, daß Jesus das Logion so, wie es jetzt vorliegt, nicht gesprochen haben kann. Zumindest der für hellenistisches Denken typische Gegensatz χειροποίητον/ἀχειροποίητον (von Händen gemacht/nicht von Händen gemacht)[29] ist im Munde Jesu nicht möglich.[30] Ob aber dieses Gegensatzpaar als sekundäre Bearbeitung erklärt und aus dem Logion einfach herausgelöst werden kann,[31] bleibt doch sehr fraglich, denn aus ihm lebt das Wort: dem »von Händen gemachten« Tempel, dem jüdischen Heiligtum, wird ein neuer (ἄλλον) »geistiger« Tempel, offenbar die Gemeinde Jesu, gegenübergestellt;[32] Jesus selbst aber ist derjenige, der den

---

[25] *Dibelius,* FG 215; *Lohse,* Prozeß 35; *Pesch,* Naherwartungen 90; *Schulz,* Stunde 132; *Gnilka,* Verhandlungen 11. — Zum Tempelwort vgl. noch: Bill. I 1003ff; IV 884ff; ThWNT IV 887ff; *Kümmel,* Verheißung 92-95; *Bihler:* BZ NF 3 (1959) 255ff.264ff; *Vielhauer,* Oikodome 62ff; *Wenschkewitz,* Spiritualisierung 160ff.

[26] *Pesch,* Naherwartungen 83ff; *anders Schweizer* 187f.

[27] *Hahn,* Gottesdienst 10f; *Gnilka,* Verhandlungen 18; vgl. *Vielhauer,* Oikodome 67; *anders Wenschkewitz,* Spiritualisierung 165ff.

[28] So *Linnemann,* Studien 116ff.

[29] Vgl. Apg 7,48; 17,24; 2 Kor 5,1; Hebr 9,11.14; vgl. *Klinzig,* Umdeutung 203f.

[30] Vgl. *Schweizer* 187.

[31] So *Klinzig,* Umdeutung 204. Auf keinen Fall kann man das Gegensatzpaar einfach dem Evangelisten Mk zuschreiben (so *Lohmeyer* 327; *Vielhauer,* Oikodome 63; *Schmid* 282f; *Grundmann* 301; *anders* mit Recht *Pesch,* Naherwartungen 90). Dieser hat überhaupt kein erkennbares redaktionelles Interesse an dem Tempelwort.

[32] Vgl. *Klostermann* z. St.; *Lohmeyer* 327; *Vielhauer,* Oikodome 64; *Schniewind* 193; *Grundmann* 301; *Schmid* 283; *Hahn,* Gottesdienst 15; *Schweizer* 190; *Schneider,* Passion 61; *Schnackenburg,* Das Johannes-

alten Tempel »auflöst« und den neuen »nach drei Tagen« errichtet.
Näher liegt es, Entstehung und Tradierung des Tempelwortes in
Kreisen der hellenistischen Judenchristen in Jerusalem anzusetzen.[33]
Diese standen dem mosaischen Gesetz und dem jüdischen Tempel
durchaus kritisch gegenüber, wie der Prozeß gegen Stephanus zeigt
(vgl. Apg 6,11.13f; 7,48f).[33a] Ob das Tempelwort in diesen Kreisen
als ein »Wort des Erhöhten« umlief, oder ob die Jerusalemer Hellenisten *Jesu eigene* Gesetzes- und Kultkritik (vgl. Mk 2,23-28;
7,6-13; 11,15-17) mit diesem Wort aufgriffen und radikal weiter-
führten, muß wohl offenbleiben. Allerdings ist es sehr wohl möglich, daß 14,58b auf ein prophetisches Wort des irdischen Jesus gegen den Tempel zurückblickt, ohne daß freilich dessen Wortlaut
mit 14,58b übereinstimmen oder aus ihm zu rekonstruieren sein
müßte.[34]
Ist also das Wort 14,58b in seiner jetzigen Fassung wohl am ehesten
in Kreisen der hellenistischen Judenchristen in Jerusalem ursprünglich beheimatet, dann dürfte dahinter wohl kaum die spätjüdisch-
apokalyptische Erwartung eines Tempelneubaus in messianischer
Zeit stehen.[35] Nach V. 58b wird ja gerade nicht ein herrlicher *Neu-
bau* des alten Tempels erwartet, sondern die Errichtung eines un-
vergleichlich neuen.[36] Der »andere, nicht von Händen gemachte
Tempel« (ἄλλον ἀχειροποίητον ναόν) dürfte vielmehr Bildwort für

---

evangelium (HThK IV/1) Freiburg ²1967, 365; *Klinzig*, Umdeutung
203ff.

[33] So schon *Lietzmann*, Prozeß 254f.

[33a] Solche Haltung ist im hellennistisch beeinflußten Judentum bereits vorbereitet; vgl. *Bousset*, Religion 113ff; *Wenschkewitz*, Spiritualisierung
138ff.

[34] Mit einem echten Jesuswort in 14,58b rechnen denn auch die meisten
Ausleger; vgl. *Bultmann*, GST Erg.-Heft 46 (Lit.!); *Vielhauer*, Oikodome 68; *Kümmel*, Verheißung 93f; *Lohmeyer* 326; *Hahn*, Gottesdienst
10f; *Schweizer* 187; *Klostermann* 155; *Schmid* 283; *Haenchen*, Weg 510;
Schnackenburg, aaO. 364; *Klinzig*, Umdeutung 205; *Schubert*, Kritik
430f; *anders Linnemann*, Studien 116ff.

[35] Vgl. dazu Bill. I 1003f; vgl. äthHen 90,28f; TgJes 53,5.

[36] »Die Zeugnisse dafür, daß der Messias den Tempel mit neuer Herrlichkeit aufrichtet, sind spät und setzen voraus, daß der Tempel in Trüm-
mern liegt«: *Haenchen*, Weg 510; vgl. *Linnemann*, Studien 126f.

die christliche Gemeinde sein (vgl. Mt 16,18; 1 Kor 3,17; 2 Kor 6,16 u. a.). Dann wird das Wort mit dem Bild von den beiden Tempeln den alten und den neuen Bund einander gegenüberstellen und sagen wollen, daß Jesus das alte Israel abgelöst und eine neue Heilsgemeinde errichtet hat. Ist das Wort in der hellenistischen Urgemeinde anzusetzen, dann wird das »binnen drei Tagen« (διὰ τριῶν ἡμερῶν) schon zum ursprünglichen Bestand des Logions gehören und eindeutig zu verstehen sein.[37] Im jetzigen Kontext jedenfalls dürfte mit der Zeitangabe klar auf die Auferstehung angespielt sein. Ist das Wort dann so zu verstehen, daß die Verurteilung und der Kreuzestod Jesu die Auflösung und Zerstörung des alten Tempels bedeuten, die Auferstehung aber die Gründung der neuen Heilsgemeinde? Dafür könnten die verkürzte Wiederholung des Logions in 15,29, die ebenfalls sekundärer Einschub ist, wie auch 15,38 sprechen, wo offenbar das im Tod Jesu ergangene Gericht am Tempel dargestellt werden soll (s. u.). Als Einschub in die Verhörszene macht V. 58b dann die wahre Dimension des Geschehens deutlich: im Urteil des Synedriums gegen Jesus wird das Urteil gegen den alten, »von Händen gemachten« Tempel und seine Ordnung gesprochen.

V. 58b erweist sich also als ein polemisches Wort der hellenistischen Judenchristen von Jerusalem gegen den Tempel. Dann ist die nächstliegende Folgerung die, daß der Einschub V. 57-59 in die Verhörszene in Kreisen dieser Hellenisten vorgenommen wurde. Der Evangelist kommt dafür jedenfalls nicht in Frage. Daß es sich dabei um eine planvolle Redaktion der ursprünglichen Passionsgeschichte handelt, erweisen die ebenfalls sekundären, korrespondierenden Einschübe 15,29 und 15,38 (s. u.). Der Redaktor hat den Einschub dadurch erreicht, daß er die Situation von V. 55f verlängert und V. 56a in V. 57 aufgreift. Dabei hat er von vornherein festgehalten, daß das Wort Jesu V. 58b im Munde der vom Synedrium bestellten Zeugen nur falsch sein kann, denn allein die christ-

---

[37] Zur Diskussion, ob hier ein Hinweis auf die Auferstehung vorliegt oder allgemein nur eine sehr kurze Frist gemeint ist, vgl. zuletzt *Kümmel*, Verheißung 61; *Schweizer* 187; *Lehmann*, Auferweckt 171f.

liche Gemeinde vermag dieses Wort zu verstehen und richtig zu deuten.[38]

Vermutlich ist der gleiche Redaktor auch für das ἐψευδομαρτύρουν (sie gaben Falschzeugnis) von V. 56 verantwortlich. Dort paßt der Ausdruck schlecht, weil V. 56b auf die *Widersprüchlichkeit* der Zeugnisse, nicht aber auf ihre Falschheit abhebt. Ursprünglich könnte V. 56a nur gelautet haben: »denn viele zeugten gegen ihn«.

Mit V. 59 greift der Redaktor auch V. 56b auf. Er schafft damit die Bedingung, trotz V. 57f die ursprüngliche Gestalt der Erzählung beizubehalten und mit V. 60 fortzufahren. Daß der aus V. 56b entnommene Gedanke nach dem offenbar einhelligen Zeugnis von V. 58b ohne rechten Sinn ist, scheint ihn dabei nicht zu stören.

(c) Ein weiterer literarischer Bruch findet sich zwischen V. 62a und V. 62b. Darauf machen mehrere Spannungen im Text aufmerksam. So kann nur V. 62a als Antwort auf die Frage des *Hohenpriesters* in V. 61b verstanden werden, nicht aber auch V. 62b. Dieser führt V. 62a in keiner Weise weiter, setzt vielmehr mit καὶ ὄψεσθε (und ihr werdet sehen) völlig neu an und bringt eine drohende Ankündigung an das *ganze Synedrium*. Auffällig ist ebenfalls, daß V. 62b nicht einen der Titel von V. 61b aufgreift, zu denen sich Jesus V. 62a bekennt, sondern mit ὁ υἱὸς τοῦ ἀνθρώπου (Menschensohn) einen religionsgeschichtlich völlig anders abzuleitenden Titel bietet.[39] Verständlich wird aber V. 62b nur, wenn Jesus, der sich in V. 62a als »Messias« und »Sohn des Hochgelobten« bekennt, auch mit dem Menschensohn identifiziert werden kann. Dann ist jedoch der Wechsel zwischen der 1. Person (ἐγώ) und der 3. Person Singular (ὁ υἱὸς τοῦ ἀνθρώπου) in V. 62 auffällig. Auch er weist auf einen Bruch zwischen den beiden Vershälften hin (vgl. 14,21.42).[40]

---

[38] Das ἐψευδομαρτύρουν von V. 57 besagt daher keineswegs, daß es sich in V. 58b um eine völlig sinnlose und »verleumderische Erfindung« handelt (so *Linnemann*, Studien 119). Für die christliche Gemeinde hat dieses Rätselwort einen tiefen Sinn, im Munde jüdischer Feinde aber muß es zur Verleumdung werden, weil es nur vordergründig verstanden werden kann (vgl. 15,29b).

[39] Vgl. *Vielhauer*, Gottesreich 56; *ders.*, Christologie 201; *Gnilka*, Verhandlungen 14; *Linnemann*, Studien 133.

[40] Vgl. *Wendling*, Entstehung 174; *Schenke*, Studien 238f.

Diese Überlegungen werden dadurch bestätigt, daß sich V. 63 trotz aller Sachkritik, daß im Judentum der Messiasanspruch allein noch nicht als Lästerung galt, nur als Reaktion des Hohenpriesters auf V. 62a, nicht aber auf V. 62b verstehen läßt. Nach Aufbau und Struktur der Erzählung zielt die Frage des Hohenpriesters in V. 61b ja gerade die Antwort V. 62a an, um dadurch die Verhandlung weiterzubringen; nicht aber konnte der Hohepriester hoffen, daß Jesus im Anschluß an die Frage V. 61b irgendwelche Lästerungen aussprechen würde. Dem entspricht, daß V. 62b in V. 63f auch überhaupt keine Rolle mehr spielt.[41] Tatsächlich kann V. 63f gut an V. 62a angeschlossen werden, ohne daß im Text eine Lücke vermutet werden müßte: Jesus ist eben nicht wegen des Wortes V. 62b, sondern wegen seines Anspruchs, der Messias zu sein, vom Synedrium zum Tode verurteilt worden.

V. 62a und V. 62b können also nicht von der gleichen Hand stammen, vielmehr ist V. 62b als sekundärer Einschub in die Synedriumsszene zu beurteilen. Die entscheidende Frage ist wieder, wann und warum dieser Einschub gemacht worden ist, wer dafür verantwortlich ist und welche Tendenz sich darin zeigt.[42]

Zunächst wird man feststellen müssen, daß V. 62b schwerlich als ursprünglich selbständiges Logion wahrscheinlich zu machen ist. Durch »ihr werdet sehen« ist es vielmehr eng mit der Gerichtssituation des jetzigen Kontextes verknüpft. Unsere obige Untersuchung und diese Beobachtung machen es daher völlig unwahrscheinlich, daß wir es in V. 14,62b mit einem echten Jesuswort zu tun haben.[43] Haben wir in V. 62b also nicht ein ursprünglich eigenständiges Wort vor uns, dann muß es ad hoc als sekundärer Zusatz für die Synedriumszene geschaffen worden sein. Diese Feststellung hat Konsequenzen für die folgende traditionsgeschichtliche Untersuchung.

---

[41] Vgl. *Suhl*, Zitate 55f.

[42] Von vornherein kann wohl ausgeschlossen werden, daß erst Mk für den Einschub verantwortlich ist; so *Suhl*, Zitate 56; *Schulz*, Stunde 113f.

[43] Dafür halten das Logion: *Schweizer*, Menschensohn 189; *ders.*, Erniedrigung 40; *Strobel*, Kerygma 57; *anders Tödt*, Menschensohn 34: 14,62 ist »der nachösterlichen Gemeinde zuzuschreiben«.

Das Wort 14,62b ist leicht als Kombination aus Dan 7,13 und Ps 110(109),1 zu erweisen. Aus Dan 7,13 (Theodotion) ist der Titel »Menschensohn« im ersten Teil des Wortes und der gesamte zweite Teil ἐρχόμενος μετὰ τῶν νεφελῶν τοῦ οὐρανοῦ (kommend mit den Wolken des Himmels) entlehnt. Nur noch Mk 13,26 findet sich ein Menschensohnwort, das ebenso deutlich auf Dan 7,13 anspielt. Dort ist eindeutig von der Parusie die Rede. Trifft das auch auf V. 62b zu? Aus Ps 110(109),1 stammt das ἐκ δεξιῶν καθήμενον (zur Rechten sitzend): das μοῦ (meiner) des Psalms ist durch die Umschreibung des Gottesnamens τῆς δυνάμεως (der Macht) ersetzt. Diese ist wohl ein Zeichen relativ hohen Alters und judenchristlicher Herkunft des Wortes. Nur noch Apg 7,56 ist der Menschensohntitel mit Ps 110(109),1 verbunden. Mit der Zitierung dieses Psalms im Neuen Testament ist stets die Anschauung von der Inthronisation/Erhöhung Jesu verbunden.[44] Ist diese Vorstellung hier dadurch modifiziert, daß von Jesu Erhöhung *als Menschensohn* gesprochen wird?

Die beiden Partizipien in V. 62b καθήμενον (sitzend) und ἐρχόμενον (kommend) sind jeweils von ὄψεσθε (ihr werdet sehen) abhängig. Bedeutet dies, daß mit den beiden Partizipien ein gleichzeitig sich ereignender Akt dargestellt werden soll? Ist insbesondere mit καθήμενον lediglich der Akt der Inthronisation gemeint, und fallen also Inthronisation und Parusie als eschatologisches Ereignis zusammen?[45] Dagegen spricht, daß καθήμενον mit »*sitzend*« wiederzugeben und nur verständlich ist, wenn der Akt der Inthronisation schon geschehen ist.[46] καθήμενον kann daher wohl nur auf die »Erhöhung« als Ergebnis der Inthronisation des Menschensohnes verweisen. Wie aber können dann das καθήμενον und ἐρχόμενον des Menschensohnes als gleichzeitig erfahren (ὄψεσθε) werden? Oder ist das ἐρχόμενον nicht auf das »Kommen« zur Parusie zu beziehen,

---

[44] Zur Diskussion um Alter und traditionsgeschichtliche Einordnung der Erhöhungsvorstellung vgl. *Schweizer*, Erniedrigung 60ff; *Hahn*, Hoheitstitel 126ff; *Thüsing*, Erhöhungsvorstellung passim.

[45] So *Hahn*, Hoheitstitel 128; Hahn will das Inthronisationsmotiv von der Erhöhungsvorstellung traditionsgeschichtlich trennen. Letztere sei erst im hellenistischen Judenchristentum ausgebildet worden; *gegen* Hahn vgl. die Studie von *Thüsing*, Erhöhungsvorstellung passim.

[46] So mit Recht *Vielhauer*, Christologie 205; *ders.*, Weg 173.

sondern meint »ursprünglich wie in Dan 7,13 das Kommen *zum* Throne Gottes?« Dann wären ἐρχόμενον und καθήμενον ebenfalls als ein aufeinander folgender, gleichzeitig wahrnehmbarer Akt anzusehen, und das Wort hätte »ursprünglich ausgesagt, daß Jesus zu Gott erhöht werden und dort Macht, Ehre und Reich bekommen werde«[47]. Doch die jetzige Reihenfolge der Partizipien läßt eine solche Deutung schwerlich zu. Es ist ganz eindeutig, daß jetzt das ἐρχόμενον auf das καθήμενον folgt. Dann muß mit ἐρχόμενον an einen Akt gedacht sein, der die Erhöhung zur Voraussetzung hat. Es bleibt damit weiterhin die Frage zu beantworten, wie das ὄψεσθε und das Nebeneinander der beiden Partizipien zu verstehen ist.

Einen neuen Versuch dazu hat *Perrin* unternommen.[48] Er erkennt, daß hinter V. 62b sehr alte, frühchristliche Auslegungstraditionen stehen, die alle Dan 7,13 benutzt haben. Die erste und älteste Auslegungstradition hat die früheste Interpretation der Auferstehung Jesu als Erhöhung/Himmelfahrt mit Hilfe von Ps 110(109),1 (vgl. Apg 2,35f) zusätzlich durch Dan 7,13 als »Auffahrt Jesu zu Gott als Menschensohn« interpretiert (S. 197-204). Diese Auslegungstradition findet Perrin auch in Mk 14,62b und Apg 7,56 belegt. Mit Hilfe seiner traditionsgeschichtlichen Hypothese kann er nun auch das Problem lösen, warum Apg 7,56 trotz des Titels »Menschensohn« nicht von der Parusie spricht: es gab eben ganz früh eine Verwendung von Dan 7,13, die diese Stelle unter Absehung von der Parusie allein auf die Himmelfahrt bezogen hat.

Die zweite, jüngere Auslegungstradition, die Dan 7,13 aufgegriffen hat, nahm ihren Ausgangspunkt nicht bei der Auferstehung, sondern bei der Kreuzigung. Schon früh sei das Kreuz Jesu durch Benutzung des Alten Testaments apologetisch verteidigt worden. Bei solcher »Passionsapologetik« habe auch Sach 12,10ff eine bedeutende Rolle gespielt (vgl. Joh 19,37; Offb 1,7). Dabei sei das ἐπιβλέψονται (sie werden hinschauen) der LXX (Septuaginta) im Neuen Testament durch ὄψονται (sie werden sehen) ersetzt worden. In Offb 1,7 liegt nun ganz deutlich eine Verbindung von Sach

---

[47] *Schweizer*, Erniedrigung 40.
[48] Zuerst: NTS 12 (1965/66) 150-155; jetzt auch: Jesus 194-210 (darauf wird im folgenden verwiesen).

12,10ff mit Dan 7,13 vor. Dadurch geht das ὄψονται nun nicht mehr auf die Kreuzigung, sondern bezieht sich auf das *Kommen des Gekreuzigten*, auf die Parusie. »Wenn meine Argumentation richtig ist, dann ist das Verb *opsomai* bei seiner Verwendung in einer Anspielung auf Jesu ›Kommen mit den Wolken‹ keineswegs eine allgemeine apokalyptische Färbung, sondern eine ganz spezifische Anspielung auf eine Auslegungstradition, in der Sach. 12,20ff. und Dan. 7,13 zusammen in der christlichen Passionsapologetik benutzt wurden, und das trifft dann sowohl für Mk. 13,26 als auch für 14,62 zu« (S. 206). Die Verbindung des Zitats aus Dan 7,13 mit dem ὄψεσθε beweist also auch für Mk 14,62b, daß hinter diesem Vers alte »Passionsapologetik« zu finden ist: »der, der als Menschensohn zu Gott aufgefahren ist, (wird) auch als Menschensohn wiederkommen« (S. 208). Dieses Wiederkommen dient der Demonstration des Gekreuzigten als des von Gott Angenommenen, dessentwegen diejenigen, die ihn ans Kreuz gebracht haben, wehklagen werden.

Die ganz auf die Parusie bezogene Verwendung von Dan 7,13 ist dagegen die letzte, jüngste Auslegungstradition, die sich aus der Passionsapologetik-Tradition entwickelt hat. Ihr ist wohl Mk 13,26 zuzuweisen, wenngleich auch hier noch in ὄψονται die Passionsapologetik nachklingt (S. 194ff).

Perrin kann mit seiner Analyse Mk 14,62b als Reflex sehr alter urchristlicher Auslegungstraditionen wahrscheinlich machen, in der Ps 110(109),1, Dan 7,13 und Sach 12,10ff schon miteinander verbunden wurden. V. 62b ist also trotz dieser Kombination alttestamentlicher Stellen keineswegs traditionsgeschichtlich jung. Perrin macht außerdem auf die enge traditionsgeschichtliche Verbindung von V. 62b zu Apg 7,56 aufmerksam und zeigt auf, daß hinter Apg 7,56 eine vorlukanische, von 14,62b unabhängige Ausformung der gleichen Tradition zu finden ist. Schließlich kann Perrin das ὄψεσθε von V. 62b am ungezwungensten aus der Passionsapologetik verständlich machen und damit zugleich den apologetischen Charakter von V. 62b verdeutlichen. Deutlicher als Perrin es tut, muß aber festgehalten werden, daß V. 62b sich nicht in kleine Traditionsbestandteile zerlegen läßt, die möglicherweise einmal isoliert überliefert worden sind. Die Bildung des Verses muß vielmehr auf *eine*

Hand zurückgehen. Freilich steht sein Verfasser dann auf dem Boden der von Perrin rekonstruierten Auslegungstraditionen und ist von ihnen abhängig.

Welches ist die *Aussageabsicht* und *Tendenz* des sekundären Einschubs V. 62b in die Synedriumsszene? Oft ist dazu gesagt worden, V. 62b wolle die in V. 61b.62a von Jesus beanspruchte Messiaswürde mit Hilfe der Menschensohnvorstellung deuten und korrigieren.[49] Das trifft wegen der Struktur des Wortes schwerlich zu, denn es ist dann nicht zu erklären, warum es pointiert vom »Sehen« der Synedristen spricht. In ὄψεσθε tritt deutlich ein apologetischer Akzent hervor. Dem wird die verbreitete Auslegung besser gerecht, die annimmt, in V. 62b solle den Richtern Jesu selbst das Gericht angedroht werden.[50] In dieser Auslegung wird V. 62b eindeutig als Ansage der Parusie des Menschensohnes *zum Gericht* (vgl. Mk 8,38; 13,26; Lk 12,8f) verstanden. Damit wird dem zweiten Teil des Wortes eine Dominanz über die Erhöhungsaussage des ersten Teiles zugestanden. V. 62bα muß dann formal als Einschub oder Interpretation gelten. Auch diese Deutung wird der Struktur des Wortes V. 62b nicht gerecht, in der beide Partizipien von ὄψεσθε abhängig sind und offenbar gleichberechtigt nebeneinander stehen.

Die Hypothese Perrins erlaubt dagegen eine einheitliche Auslegung des gesamten Verses. Die beiden Versteile stellen nicht zwei unterscheidbare Stufen des Geschehens um den Menschensohn dar, sondern sind wie die beiden Seiten einer Medaille die beiden Aspekte *eines* Aktes: Der von seinen Richtern als Messias verurteilte Jesus wird in der Auferstehung als Menschensohn zu Gott erhöht und tritt als solcher zum Schrecken derjenigen, die ihn verurteilt haben, in Erscheinung. Von der Parusie wird also noch nicht ausdrücklich gesprochen, sondern ἐρχόμενον bezeichnet entsprechend »der jüdisch-

---

[49] So *Schneider*, Verleugnung 34; *Tödt*, Menschensohn 33f; *Vielhauer*, Christologie 204; *Conzelmann*, Historie 47; *Hahn*, Hoheitstitel 182: »Das bedeutet also, daß das Messiasbekenntnis für die frühe Urgemeinde nicht anders möglich und denkbar war, als daß sie es in den apokalyptischen Rahmen und Verständnishorizont hineingestellt und ausschließlich auf Jesu endzeitliches Wirken bei der Parusie bezogen hat«.

[50] So *Strobel*, Kerygma 99; *Lohse*, Prozeß 37; *Pesch*, Naherwartungen 168; *Gnilka*, Verhandlungen 15; *Schnackenburg* II 279.

semitischen Ausdrucks- und Denksphäre . . . nicht ein ›Ankommen‹, sondern allgemein das ›In-Erscheinung-Treten‹ oder ›Eintreten‹ eines Ereignisses«[51]. Das »mit den Wolken des Himmels« ist altes Theophaniemotiv,[52] verstärkt also das obige Verständnis von ἐρχόμενον und braucht nicht notwendig als Fortbewegungsmittel verstanden zu werden. Die apologetische Absicht von V. 62b tritt deutlich hervor: zu dem vom Synedrium verurteilten Jesus wird sich Gott bekennen, ihn als Menschensohn zu seiner Rechten erhöhen und als solchen sichtbar in Erscheinung treten lassen. Dieses Ereignis wird in der Auferstehung initiiert und setzt sich wohl in der Gegenwart des Redaktors darin fort, daß der Erhöhte über seine Gemeinde herrscht und in ihr begegnet. Durch V. 62b macht der Redaktor also die wahre Dimension der Synedriumsszene kenntlich: der hier verurteilt wird, ist der zur Rechten Gottes sitzende und »mit den Wolken des Himmels« in Erscheinung tretende Menschensohn.

Für die Beantwortung der Frage, wer für den Einschub von V. 62b in die Synedriumsszene verantwortlich ist, ist auf das Visionswort des Stephanus Apg 7,56 zu verweisen.[53] Auch dort treffen wir wie in V. 62b auf eine Kombination von Ps 110(109),1 und Dan 7,13. Eine lukanische Bearbeitung der ganzen Szene über den Tod des Stephanus und des Stephanuswortes ist zwar wahrscheinlich, doch greift Lk für erstere sicher auf ein Traditionsstück zurück[54] und auch für V. 56 dürfte eine vorlukanische Fassung wahrscheinlich zu machen sein (vgl. V. 55).[55] Diese Beobachtung reicht aus für die Feststellung, daß wohl auch 14,62b in Kreisen der hellenistischen Judenchristen um Stephanus traditionsgeschichtlich beheimatet ist. Diese hellenistischen Judenchristen in Jerusalem dürften also für den Einschub von V. 62b in die Synedriumsszene und damit für die apologetische Neuinterpretation dieser Erzählung verantwortlich

---

[51] *Strobel*, Kerygma 45.
[52] Vgl. ThWNT IV 904ff; *Pesch*, Naherwartungen 171.
[53] Vgl. *Tödt*, Menschensohn 274ff; *Perrin*, Jesus 199ff.
[54] Vgl. dazu *Conzelmann*, Die Apostelgeschichte (HNT 7) Tübingen 1972, 59 (Lit!); vgl. noch *Pesch*, Die Vision des Stephanus (SBS 12), Stuttgart o.J. (1966).
[55] Vgl. *Tödt*, Menschensohn 276; *Perrin*, Jesus 201.

sein. Die Apologetik richtet sich gegen das offizielle Judentum, das in Jesus seinen Messias zum Tode verurteilt hat. Ihm wird gesagt, daß dieser Jesus als Menschensohn in der Auferweckung zu Gott erhöht worden und als solcher herrlich in Erscheinung getreten ist.

Eine Bestätigung unserer These liegt darin, daß wir auch den Einschub von V. 57-59 als in Kreisen der hellenistischen Judenchristen von Jerusalem vorgenommen ausgewiesen haben. Auch das Tempelwort Jesu (V. 58b) findet sich ja im Bericht über das Martyrium des Stephanus (Apg 6,14) wieder. Wir kommen also zu dem Ergebnis, daß die ursprüngliche Synedriumsszene schon sehr früh in den Kreisen der Stephanusleute redigiert worden ist. Diese Redaktion muß nicht schon in der Jerusalemer Zeit dieser Gruppe, sondern kann auch nach ihrer Vertreibung vorgenommen worden sein. Mit unserer These soll lediglich die traditionsgeschichtliche Herkunft der Redaktion gekennzeichnet werden. Für die Synedriumsszene selbst besagt dieses Ergebnis dann, daß sie sehr alt und schon in der Jerusalemer Urgemeinde gebildet worden sein muß.

(4) Die ursprüngliche Fassung der Verhörszene

Unsere literarkritische Analyse der Szene vom Verhör Jesu vor dem Synedrium ergibt für die ursprüngliche Fassung des Stückes folgenden Bestand: V. 53a.55(»der Hohepriester aber«).56.60-62a.63-65. Das kritische Urteil über diese Erzählung muß wohl lauten, daß uns darin ein Stück von großer literarischer Geschlossenheit und zielstrebigem Aufbau vorliegt.

V. 53a bietet den direkten Anschluß an die vorausgehende Szene der Gefangennahme 14,43-52. Zugleich nennt der Vers schon die neben Jesus in der Verhörszene auftretende Hauptperson. Durch diese feste Verbindung von V. 53a zu beiden Stücken dürfte ihr ursprünglicher literarischer Zusammenhang erwiesen sein.

V. 55.56 enthält die Exposition des folgenden Geschehens. Die einander gegenüberstehenden Personen werden vorgestellt: der Hohepriester und das Synedrium auf der einen, Jesus auf der anderen Seite. Die Absicht der Gegner Jesu wird deutlich gemacht: sie wollen Jesus töten! Darum suchen sie gegen ihn nach einer todeswürdigen Anklage. Schon hier ist klar, daß Jesus ohne Chance ist; die Verhandlung ist von vornherein eine Farce, weil der in V. 64 dann endlich mögliche Todesbeschluß schon an ihrem Beginn feststeht. Aber noch ein anderes Konstitutivum der Erzählung wird hier schon deutlich: man hat keine Handhabe gegen Jesus; er wird als Unschuldiger zum Tode verurteilt. Das läßt V. 55fin.56 klar erkennen: die Zeugnisse gegen Jesus widersprechen sich und sind darum wertlos.

V. 60.61a bringen eine erste Intervention des Hohenpriesters und damit eine Steigerung der Schilderung. Der Hohepriester versucht, Jesus zu einer Äußerung zu bewegen, um daraus eine Anklage zu zimmern. Das Schweigen Jesu entlarvt diesen Versuch als das, was er von vornherein war, als Ausgeburt der mörderischen Verlegenheit des Gerichtsgremiums, das gar nicht daran denkt, aus dem bisherigen Verlauf der Verhandlung die einzig gerechte Konsequenz zu ziehen und Jesus für unschuldig zu erklären.[56]

V. 61b.62a führen den Höhepunkt der Erzählung herbei. Der Hohepriester stellt die Messiasfrage, die Jesus mit einem bekenntnishaften ἐγώ εἰμι eindeutig positiv beantwortet.[57] Die Frage des Hohenpriesters ist aus christlicher Sicht gestellt, denn erst in der urchristlichen Gemeinde ist die in ὁ υἱὸς τοῦ εὐλογητοῦ (Sohn des Hochgelobten) enthaltene Königstitulatur »Sohn« (vgl. 2 Sam 7,14; Ps 2,7) auf den Messias übertragen worden.[58] Die Gottesbezeichnung τοῦ εὐλογητοῦ greift die übliche jüdische Umschreibung für Gott auf. Die Frage des Hohenpriesters bietet daher nicht etwa zwei zu unterscheidende christologische Titel (χριστός und υἱός), sondern interpretiert gemäß urchristlicher Tradition den Messiastitel durch den alttestamentlichen Königstitel »Sohn«.

V. 63-64 ziehen aus der bejahenden Antwort Jesu die Konsequenz. Dieses einzige Wort Jesu in der Verhandlung, mit dem er bekennt,

---

[56] Wegen dieser steigernden Funktion von V. 60.61a kann ich keine literarische Spannung zwischen diesem Zug und der übrigen Erzählung sehen (so *Bultmann*, GST 291; *Schneider*, Verleugnung 32). Wenn V. 60f nicht zu dem erfolglosen Verhör V. 55f paßt, dann ja auch V. 61bf nicht.

[57] Vgl. *Hahn*, Hoheitstitel 182: Es handelt sich bei dem ἐγώ εἰμι »nicht wie . . . 6,50 und . . . 13,6 um eine Präsentationsformel, sondern um eine ganz schlichte Identifikationsaussage«.

[58] Vgl. *Hahn*, Hoheitstitel 181.280ff; *Vielhauer*, Christologie 204f; anders *Schubert*, Kritik 431f.

der Messias Israels zu sein, genügt dem Hohenpriester und dem Synedrium, ihn zum Tode zu verurteilen. Die Anklage lautet auf Lästerung, was völlig absurd ist. Wenn Jesus gelästert hat, dann der Hohepriester auch, der ja die entscheidende Frage gestellt hat! Es wird deutlich: Jesus ist wegen nichts anderem zum Tode verurteilt worden, als *weil* er der Messias ist. Das Wort des Hohenpriesters und die Antwort der Synedristen greifen in kaltschnäuzig-makabrer Weise V. 55f wieder auf: das Synedrium braucht keine Zeugen mehr; es ist gegen Jesus wie gewünscht zum Ziele gekommen: »er ist des Todes schuldig«.

Vielfach ist angenommen worden, V. 65 sei nach der Verhörszene unpassend und müsse ursprünglich an anderer Stelle gestanden haben.[59] Wenn man zu dieser Annahme nicht aus sachkritischen und psychologisierenden Gründen kam — kann man den vornehmen Synedristen solch pöbelhaftes Verhalten zutrauen? —, dann aus literarkritischen Erwägungen, wonach die Verhörszene als sekudärer Einschub und die Szenenfolge bei Lk als ursprünglich anzusehen sei. Beide Gründe sind aber unhaltbar und abzuweisen.[60] Vielleicht haben auf diese kleine Szene literarische Parallelen eingewirkt: Jesus wird verspottet, indem man seinen erhobenen Anspruch ins Lächerliche verzerrt (vgl. auch 15,16-20a).[61] Der Erzähler zeigt in V. 65 die letzte Konsequenz des Hasses der Synedristen gegen Jesus auf, der sie während der gesamten Verhandlung geleitet hat. Zugleich rundet er damit auch das Bild Jesu ab, das er in der ganzen Szene gezeichnet hat: er ist der »leidende Gerechte«, der um seines gerechten Bekenntnisses willen unschuldig leidet und zum Tode verurteilt wird.

Bevor wir unten in Abschnitt B nach der apologetischen Tendenz und theologischen Aussageabsicht der Erzählung fragen, müssen wir nun zuerst die literarkritische Analyse von Mk 15,1-20a anschließen. Sie wird zeigen, daß diese Fragen mit größerer Präzision an den *gesamten* Abschnitt 14,53 - 15,20a gestellt werden können.

---

[59] Vgl. *Bultmann*, GST 293; *Wendling*, Entstehung 183; *Lietzmann*, Prozeß 256f; *Taylor* 562f.

[60] Zum zweiten Grund s. o. zur Verleugnungstradition.

[61] Eine literarische Parallele dazu bietet *G. Rudberg:* ZNW 24 (1925) 307ff.

3. Die Barabbas-Episode 15,6-15

a) Spannungen

Wir behandeln die Barabbas-Episode *vor* dem Pilatusverhör. Das hat seine Berechtigung darin, daß diese Szene mehrere Spannungen zum Kontext aufweist, die darauf schließen lassen, daß in ihr ein sekundärer Einschub in die Passionsgeschichte vorliegt.

(1) Mit 15,5 bleibt die eigentliche Gerichtsverhandlung vor Pilatus, aus der bis dahin nur Anklagen und Verhör geschildert worden sind, ohne den erwartungsgemäßen Abschluß. Die Szene endet mit dem Schweigen Jesu und der Verwunderung des Pilatus zwar recht wirkungsvoll, aber dennoch erzählerisch gesehen unbefriedigend, da auf das Verhör hin weder eine Verurteilung noch ein Freispruch Jesu durch Pilatus erfolgt. Damit ist die Gerichtsszene offenbar künstlich für die folgende Barabbas-Episode offengehalten. Diese hat aber überhaupt nicht mehr den Charakter einer Gerichtsszene, sondern den einer Audienz. »15,6ff hat also nicht mehr die Verurteilung Jesu, sondern die Begnadigung eines Gefangenen zum Hauptthema.«[1]

(2) Die Barabbas-Episode schließt aber erzählerisch nicht unmittelbar und organisch an die Gerichtsszene 15,2-5 an. Vielmehr muß der Erzähler in V. 6ff mehrfach neu und umständlich einsetzen, um die Voraussetzungen für die folgende Szene zu klären. V. 6 führt zunächst ganz allgemein den Brauch einer Festamnestie ein, bei der das Volk das Recht hatte, die Freilassung eines Gefangenen seiner Wahl zu fordern.[2] Damit wird V. 8ff vorbereitet. Auch in V. 15 spielt V. 6 eine Rolle, insofern er erklärt, warum Pilatus dem Volk »Genüge tun will«. V. 7 klärt mit der Einführung des Barabbas eine weitere Voraussetzung der folgenden Szene (vgl. V. 11). Zugleich wird hier durch die Kennzeichnung des Barabbas als Mörder

---

[1] *Maurer*, Knecht 15f.

[2] Die sachkritische Frage, ob sich der Brauch einer *regelmäßigen Amnestie* nachweisen läßt, trägt für unsere literarkritische Frage nichts aus. Historisch wird man einen solchen *Brauch* für wenig wahrscheinlich halten müssen, wenn es auch Amnestien selbstverständlich immer gab; vgl. *Lohse*, Geschichte 92; *Klostermann* 159; *Schnackenburg* II 290; *anders Blinzler*, Prozeß 220ff.

schon die Tendenz des Abschnitts deutlich: das Volk zieht auf Betreiben des Hohenpriesters[3] einen Mörder dem »König der Juden« vor. Nach Klärung dieser für das Verständnis des Folgenden wichtigen Vorfragen bereitet V. 8 nun die Barabbas-Episode szenisch vor. Auch V. 8 bemüht sich aber keineswegs um einen erzählerisch glatten Anschluß an V. 2-5 (etwa durch Partizipial-Konstruktionen), sondern schildert das Hinaufziehen und die noch unbestimmte Forderung des Volkes so, als fände beides erst jetzt statt. Der Erzähler denkt sich die Sache aber doch wohl so, daß dies alles schon während der Gerichtsszene geschieht. Erst V. 9 schließt erzählerisch dort an, wo V. 5 abbrach: bei Pilatus. Dennoch bleibt die Szene völlig unklar. Wahrscheinlich denkt der Verfasser an eine öffentliche Gerichtssitzung, da in V. 11, ohne daß ein Szenenwechsel angezeigt würde, der Hohepriester das Volk beeinflussen kann. Auch diese schwache, unmotivierte Erzählweise muß als Spannung angesehen werden.

(3) Die Frage des Pilatus an das Volk V. 9 greift den Titel »König der Juden« (V. 2) für Jesus neutral (oder ironisch?) auf. Das steht in Spannung zum Kreuzestitulus 15,26 (s. u.), wo mit diesem Titel gerade der Grund der Hinrichtung und damit also das Jesus zur Last gelegte Vergehen angezeigt wird.

(4) Obwohl V. 15 offenbar im Sinne des Erzählers sowohl die Gerichtsszene als auch die Barabbas-Episode abschließt, ergeht in ihm doch kein Todes*urteil*. Damit fehlt hier ein wesentlicher Bestandteil einer Gerichtsverhandlung. Nach V. 15 gibt Pilatus Jesus, gezwungen durch den Festbrauch und überrumpelt von der Taktik des Hohenpriesters zur Geißelung und Kreuzigung lediglich frei. Auch dieser Zug, dessen Tendenz unten noch zu besprechen ist, steht in Spannung zum Kreuzestitulus 15,26. Dort ist jedenfalls vorausgesetzt, daß Jesus als »Messiasprätendent« durch die Römer *verurteilt* und hingerichtet worden ist.[4]

---

[3] Wir haben schon oben bemerkt, daß in 15,1 ursprünglich neben dem Synedrium nur *der* Hohepriester (Singular!) genannt worden ist. Dann steht das »die Hohenpriester« in V. 10.11 zur ursprünglichen Fassung von 15,1 in Spannung. Ich rechne daher damit, daß der Plural in V. 10.11 (wie auch in 15,3) auf den Evangelisten zurückgeht.

[4] Vgl. *Schneider*, Passion 84.

Diese Spannungen machen den Schluß unabweisbar, daß die Barabbas-Episode ein sekundärer Einschub in die ursprüngliche Gerichtsverhandlung vor Pilatus ist, mit dem wahrscheinlich der einmal nach V. 2-5 folgende Urteilsspruch des Pilatus verdrängt worden ist.[5] Ursprünglich wird anders erzählt worden sein: Pilatus hat Jesus als »König der Juden« verurteilt und als messianischen Aufrührer hinrichten lassen (vgl. 15,26). Möglich ist, daß V. 15b noch ein Rudiment des ursprünglichen Pilausurteils ist. Dieses literarkritische Urteil impliziert allerdings, daß 15,2 entgegen einer verbreiteten Ansicht nicht sekundär ist, sondern schon ursprünglich zur Gerichtsverhandlung vor Pilatus gehört (s. u.).

b) Tendenz und Herkunft der Barabbas-Episode

Die Barabbas-Episode ist nicht als ursprünglich selbständige Erzähleinheit verständlich zu machen, sondern in zahlreichen Erzählzügen auf den vorausgegangenen Kontext bezogen. Schon V. 6 entnimmt sein Subjekt (Pilatus) aus V. 5. Die szenische Einleitung V. 8 ist ohne die vorausgehende Szene V. 1-5 völlig unverständlich. Ebenso V. 9: daß Pilatus Jesus meint, wird nur aus V. 2 klar. V. 10 reflektiert überhaupt die vorausgehende Szene. Auch das plötzliche Auftauchen des Hohenpriesters in V. 11 ist in V. 1-5 begründet. Aus all dem geht hervor, daß die Barabbas-Episode ein ad hoc geschaffener, sekundärer Einschub zur Neuinterpretation der Gerichtsszene vor Pilatus ist.

Es stellt sich damit entschieden die Frage nach der Tendenz des Einschubs. Diese wird schon darin sichtbar, daß V. 6-15a offenbar ein ursprüngliches Todesurteil des Pilatus über Jesus verdrängt hat. Sie springt aber auch aus der Art der Darstellung sofort ins Auge. V. 9 läßt zuerst Pilatus das Wort ergreifen und dem Volk das Angebot machen, Jesus freizulassen. Hat das Volk also entgegen V. 6 gar nicht konkret die Freigabe eines bestimmten Gefangenen gefordert? Diese seltsame Schilderung erlaubt es dem Erzähler, mit V. 10 einen Satz folgen zu lassen, der die Tendenz des Abschnitts verrät: Pilatus hat die mörderischen Absichten des Hohenpriesters erkannt.

---

[5] *Bultmann,* GST 293; *Taylor* 562f; *Schneider,* Passion 83f.96; *Schnackenburg* II 289f.

Darum bietet er an, Jesus freizugeben. Pilatus ist also offenbar von Jesu Unschuld überzeugt! In diesem Sinne ist nun auch seine Verwunderung über das Schweigen Jesu zu verstehen (V. 5); gleiches wird aus seiner Frage V. 14 deutlich. Wenn Pilatus Jesus schließlich doch zur Geißelung und Kreuzigung übergibt (V. 15b), dann wider besseres Wollen, und weil er durch den festen Brauch gezwungen und vom Hohenpriester überrumpelt worden ist.

Konsequent ist diese Darstellung natürlich nicht. Warum sollte Pilatus Jesus, den er doch für unschuldig hält, nicht freigeben können, auch wenn er dem Volk in Sachen Barabbas zu Willen sein muß? Aufgrund dieser Überlegung muß darum geurteilt werden, daß es dem Erzähler nicht darum ging, *Pilatus* zu salvieren. Seine Schuld und Verantwortung am Tode Jesu bleibt auch nach der Barabbas-Szene erhalten. Durch den Einschub wird vielmehr die Hauptschuld des Hohenpriesters und der Juden hervorgehoben, die den Tod ihres »Königs« verlangen und einen Mörder dem Messias vorziehen. Das Volk hat, durch den mörderischen »Neid« seiner Führer aufgestachelt, seinen Messias verworfen und ans Kreuz gebracht.[6]

Ob man den Einschub dem Evangelisten zuschreiben kann, muß unsicher bleiben.[7] Da aber auch 14,57-59 und 14,62b eine polemisch-apologetische Tendenz enthalten, ist es wahrscheinlicher, daß 15,6-15 vom gleichen Redaktor stammt. Auch in diesem Einschub dürfte sich also die Polemik der hellenistischen Judenchristen gegen das offizielle Judentum widerspiegeln: diesem wird vorgeworfen, daß es aus Haß und Neid den wahren Messias Gottes verworfen und ans Kreuz gebracht hat, dagegen mit den mörderischen und

---

[6] Vgl. *Schnackenburg* II 289f; *Schneider*, Passion 84; *Lohmeyer* 338.

[7] Vgl. *Schnackenburg* II 289f; in der Tat scheint einiges dafür zu sprechen, so der Plural »die Hohenpriester« in V. 10.11. Auch die Aussagetendenz läßt sich bei Mk nachweisen (vgl. *Schenke*, Studien 64ff). Dennoch sind Bedenken dagegen anzumelden. Kann man Mk zutrauen, eine so konkrete Szene (vgl. den Namen »Barabbas« und die Kennzeichnung seiner Person) geschaffen zu haben? Vielmehr scheinen hinter der Szene konkrete Jerusalemer Verhältnisse durchzuschimmern, möglicherweise sogar Erinnerungen an bestimmte Vorgänge. Diese brauchen nicht unbedingt mit dem Prozeß Jesu unmittelbar verbunden gewesen zu sein; trotzdem ist es wahrscheinlicher, daß die Szene von jemand verfaßt wurde, der den Ereignissen und Verhältnissen näher stand als Mk.

dem politischen Messiasideal anhängenden Zeloten gemeinsame Sache gemacht hat.

4. Die Verhandlung vor Pilatus 15,1-5.16-20a*

a) Die ursprüngliche Fassung und Bedeutung von V. 1

Durch die Zeitangabe πρωΐ (früh) und durch die ausdrückliche und umständliche Nennung der handelnden Personen (vgl. 14,53.55) hat 15,1 einen stark eigenständigen Charakter und markiert deutlich einen erzählerischen Neueinsatz. Hinzu kommt, daß für das Partizip nach συμβούλιον zwei Lesarten zur Verfügung stehen: ἑτοιμάσαντες (א C) und ποιήσαντες (B Koine). Zieht man die zweite Lesart vor und übersetzt: »eine Versammlung abhalten«, dann verstärkt sich der gegenüber 14,53a.55-65 selbständige Charakter von 15,1. Darum ist vielfach geurteilt worden, in 15,1 liege die eigentliche Notiz über die Synedriumsverhandlung vor; 14,53a.55-64 sei dagegen eine sekundäre Ausführung von 15,1.[1] Oder man hat gemeint, in 15,1 werde eine *zweite* (vgl. Joh 18,24) Verhandlung des Synedriums angedeutet.[2] Die erste Annahme können wir von unserer Analyse von 14,53a.55-65 her abweisen (s. o.), die zweite vermischt Literarkritik mit der historischen Frage und ist daher methodisch fragwürdig.

Nun ist aber συμβούλιον ἑτοιμάσαντες als schwierigere Lesart vorzuziehen und 15,1 muß übersetzt werden: »einen Beschluß fertigstellen, fassen«[3]. Dann steht 15,1 nicht in Spannung zu 14,53a.55-65, sondern kann den letzten Akt der Synedriumsverhandlung meinen.

Wir haben schon oben darauf hingewiesen, daß der Evangelist in die Notiz 15,1 redaktionell eingegriffen hat. Er dürfte vor allem für den Plural »die Hohenpriester« und die umständliche Einführung (μετά m. Gen.) der »Ältesten« und »Schriftgelehrten« verant-

---

* Lit.: *Braumann:* ZNW 52 (1961) 273-278; *Gnilka,* EKK 2 (1970) 5-21.

[1] So *Bultmann,* GST 290f; *Sundwall,* Zusammensetzung 82; *dagegen* schon *Lohmeyer* 334.

[2] Vgl. *Ruckstuhl,* Chronologie 44ff; zum Problem vgl. *Blinzler,* Prozeß 210ff; *Schneider,* Szene 22ff.

[3] So schon *Wellhausen* 135; *Blinzler,* Passion 210f; *Schneider,* Verleugnung 31; *ders.,* Szene 27f.

wörtlich sein, die ja in ὅλον τὸ συνέδριον (das ganze Synedrium) eigentlich schon mitgemeint sind.[4] Ursprünglich hieß es dann wohl in 15,1: »der Hohepriester und das ganze Synedrium«.

Auch das πρωΐ (zusammen mit εὐθύς [sofort]?) dürfte auf Mk zurückgehen. Aus der ursprünglichen Fassung von 14,53a.55-65 ging nicht hervor, daß die Verhandlung in der Nacht stattgefunden hat; erst die Einfügung der nächtlichen Verleugnungsszene durch Mk und die redaktionelle Tendenz, die Gleichzeitigkeit beider Ereignisse darzustellen, führte für den Evangelisten zu einem »nächtlichen« Verhör. Selbst wenn die ursprüngliche Passionsgeschichte von einer Verhaftung Jesu in der Nacht erzählt haben sollte, was von 1 Kor 11,23 her nahegelegt wird, so muß das folgende Verhör keineswegs unmittelbar angeschlossen haben, wie der Text jetzt voraussetzt, sondern kann durchaus erst am folgenden Tage stattgefunden haben. Von der markinischen Redaktion her aber läßt sich erklären, warum Mk hier ein πρωΐ einfügt. Wir haben oben gezeigt, daß es seine Tendenz war, die *Gleichzeitigkeit* von Verhör und Verleugnung darzustellen. Das gelingt nur bis zu einem gewissen Grad, weil dem Evangelisten beide Erzählungen schon einzeln vorlagen. Durch die Verklammerung in 14,54.66 wird diese Gleichzeitigkeit angedeutet; ebenso dadurch, daß der Evangelist die Überleitung zur Pilatusszene 15,1 von der Synedriumsszene ablöst und mit der Zeitangabe πρωΐ auf die Verleugnungsgeschichte folgen läßt. Diese endete mit dem Hinweis auf den Hahnenschrei (14,72) ebenfalls mit einer Zeitangabe. Dann ist die Meinung des Evangelisten offenbar, daß die Synedriumsverhandlung gleichzeitig mit der Verleugnung am frühen Morgen endete.

Der übrige Bestand von 15,1 kann als durchaus traditionell angesehen werden. Er schließt 14,53a.55-65 ab und leitet zu 15,2-5 über: nach dem Todesbeschluß des Synedriums wird Jesus der zweiten Instanz, Pilatus übergeben.

b) Die ursprüngliche Stellung von V. 2

Schon längst ist die auffällige und spannungsvolle Stellung von V. 2 im Rahmen der Gerichtsszene vor Pilatus erkannt worden.[5] Literar-

---

[4] So schon *Wellhausen* 135.
[5] Vgl. *Wellhausen* 136; *Bultmann*, GST 293; *Klostermann* 158f.

kritisch fällt auf, daß V. 3 über V. 2 hinweg direkt an V. 1 anschließen kann; V. 2 dagegen unterbricht diesen natürlichen Zusammenhang und bringt einen mehrfachen Subjektwechsel mit sich. Weiter muß man den Erzähler fragen, wie Pilatus dazu kommt, Jesus so zu fragen, bevor noch eine Anklage gegen ihn erhoben worden ist. Und welche Wirkung hat die positive Antwort Jesu auf Pilatus? Auffälligerweise wird ja überhaupt keine Reaktion geschildert. Beinhaltet die Frage des Pilatus eine Anklage gegen Jesus, dann müßte doch nun die Verurteilung erfolgen und das weitere Verhör wäre überflüssig. Aber gerade das Gegenteil geschieht: Pilatus ist (trotz V. 2!) offenbar von Jesu Unschuld überzeugt (V. 5) und sucht ihn freizugeben (V. 6-15a). Aus diesen Beobachtungen geht hervor, daß V. 2 in seiner jetzigen Stellung sekundär sein muß.

Bedeutet dies, daß wir es in V. 2 mit einem Zusatz zu tun haben, der ursprünglich mit dem Stück 15,1.3-5 nicht in Zusammenhang stand und eventuell sogar eine eigenständige Überlieferung darstellt? So ist häufig in der kritischen Exegese über diesen Vers geurteilt worden.[6] Doch dieses Urteil ist falsch. Es bewährt sich nun vielmehr, daß wir vor der Gerichtsverhandlung vor Pilatus schon die Barabbas-Episode untersucht haben. Dabei haben wir gesehen, daß der jetzige Abschluß der Gerichtsszene in V. 5 der Tendenz der sekundären Barabbas-Episode entspricht: die Verwunderung des Pilatus über das Schweigen Jesu bereitet seine in V. 6-15 erkennbar werdende positive Haltung gegenüber Jesus vor. Eine Verurteilung Jesu dagegen erfolgt nicht. Dies aber steht zu 15,26 in Spannung, wonach Jesus als politischer Messiasprätendent hingerichtet worden ist. Die Gerichtsverhandlung vor Pilatus muß also ursprünglich einen anderen Ausgang gehabt haben. Im Blick auf 15,26 kann aber die Frage des Pilatus in V. 2 nur als Anklage verstanden werden; das Geständnis Jesu in V. 2b müßte daher eigentlich das Todes-

---

[6] Für *sekundär* halten den Vers: *Bultmann*, GST 293 (erst durch V. 2 sei die Königstitulatur in die Erzählung gelangt); *Hahn*, Hoheitstitel 195; *Gnilka*, Verhandlungen 10; *Schneider*, Passion 85; für *markinisch* halten ihn: *Best*, Temptation 95; *Linnemann*, Studien 134; eine *selbständige Überlieferung* vermuten: *Finegan*, Überlieferung 74; *Hirsch*, Frühgeschichte I 164.

urteil (vgl. 15,26) nach sich ziehen. Wir finden also in V. 2 ein Element vor, daß durchaus schon ursprünglich, noch vor Anfügung der Barabbas-Episode, zur Gerichtsszene vor Pilatus gehört haben kann, dann aber zum Todesurteil überleitete. Das bedeutet: V. 2 muß ursprünglich *nach* V. 5 gestanden haben.[7] Auf das Schweigen Jesu hin führt die gezielte Frage und das Bekenntnis Jesu den Höhepunkt der Szene herbei: das Todesurteil. Die mit 14,53a.55-65 verwandte Erzählstruktur ist unverkennbar (s. u.).

Die Umstellung von V. 2 erfolgte, als die Barabbas-Episode 15,6-15 mit der Gerichtsverhandlung verknüpft wurde. Sie ließ sich wirkungsvoller an das Schweigen und die Verwunderung des Pilatus in V. 5 anschließen als an den ursprünglich nach V. 5 folgenden V. 2. Warum der Redaktor V. 2 nicht einfach wegließ, sondern vor die gesamte Verhandlung stellte, kann nur vermutet werden. Vielleicht wollte er damit die Tendenz von 15,6-15 noch verstärken: das Bekenntnis Jesu, der »König der Juden« zu sein, war für Pilatus gerade kein Grund, ihn zum Tode zu verurteilen. Der Tod Jesu geht allein auf das Betreiben des Hohenpriesters und der Juden zurück.

c) Die Mißhandlung V. 16-20

Die Verspottungs- und Mißhandlungsszene V. 16-20a ist seit Bultmann immer wieder für »eine sekundäre Ausführung des Motivs von V. 15b (σφραγελλώσας)«[8] gehalten worden. Für diese Auffassung könnte sprechen, daß zwischen V. 15b und V. 16ff insofern eine Spannung besteht, als der Vollzug der Geißelung nicht geschildert wird, und daß sich literarische Parallelen zu der Spottszene finden, die auf diese eingewirkt haben könnten.[9] Doch ist im einen Fall keineswegs sicher zu klären, ob V. 15b ursprünglicher Bestandteil der Gerichtsszene gewesen ist, im anderen aber sprechen litera-

---

[7] Vgl. *Braumann:* ZNW 52, 276; vgl. auch *Schweizer* 193; das πάλιν (wiederum) von V. 4 muß dann ursprünglich in V. 2 gestanden haben.

[8] GST 293f; *Hirsch,* Frühgeschichte I 169; *Schneider,* Passion 105.

[9] Vgl. Philo, in Flacc. 6p.522; Dio Chrysost. IV 66f; *Lohmeyer* 340f; *Klostermann* z. St.

rische Parallelen noch nicht von sich aus dafür, daß die Szene im Zusammenhang sekundär sein muß. Lediglich das ὅ ἐστιν πραιτώ-ριον (das ist das Prätorium: V. 16) ist sekundär und geht wohl auf Mk zurück (vgl. 15,42).[10] Die übrige Szene schließt, bedenkt man den sekundären Charakter von V. 6-15, durchaus gut an den als ursprünglich vorauszusetzenden Kontext an, greift den nur in diesem Kontext wichtigen Titel »König der Juden« auf (V. 18.26) und leitet dann sachgemäß zum Kreuzigungsbericht über (15,20b-47). All dies spricht für die Ursprünglichkeit der Szene im Erzählzusammenhang.[11] Aber auch aus Gründen der Parallelität von V. 16-20a zu 14,65 möchte ich annehmen, daß die Verspottungsszene nach der Pilatusverhandlung ursprünglich zur Passionserzählung gehört haben muß (s. u.).

5. Die strukturelle und inhaltliche Parallelität von 14,53a.55-65 und 15,1-5.15b-20a *

a) Der Tatbestand

Die strukturelle und inhaltliche Parallelität der beiden Gerichtsverhandlungen vor dem Synedrium und vor Pilatus ist geradezu frappant; sie ist bis in kleinste Einzelheiten der Formulierung hinein feststellbar. Schon Wendling[1] hat sie eingehend untersucht. Die letzte umfassende Analyse dazu hat Braumann (s. o.) vorgelegt. Zur Verdeutlichung des Tatbestandes sollen beide Texte nebeneinander gestellt werden:

Mk 14,53a.55-65	Mk 15,1-5.15b-20a
	Nachdem aber der Hohepriester und das ganze Synedrium einen Beschluß gefaßt hatten, führten sie
Und sie führten J e s u s weg (ἀπήγαγον) zum *Hohenpriester*.	J e s u s gefesselt ab (ἀπήνεγκαν) und überlieferten ihn dem *Pilatus*.

---

[10] *Wendling*, Entstehung 174; *Lohmeyer* 340.
[11] Vgl. *Lohmeyer* 340.
* Lit.: *Braumann:* ZNW 52 (1961) 273-278.
[1] Entstehung 178ff.

Der Hohepriester aber und das ganze Synedrium suchten gegen Jesus ein falsches Zeugnis, um ihn zu töten. Aber sie fanden es nicht.	Und der Hohepriester klagte ihn heftig (πολλά) an.
Denn viele zeugten gegen ihn, aber ihre Zeugnisse waren nicht gleich.	
Da stand der *Hohepriester* auf in die Mitte und f r a g t e Jesus und sagte: A n t w o r t e s t d u n i c h t s dem, was diese gegen d i c h bezeugen? (καταμαρτυροῦσιν)	*Pilatus* aber f r a g t e ihn: A n t w o r t e s t d u n i c h t s ? Sieh, wie sehr sie d i c h verklagen! (κατηγοροῦσιν)
Er a b e r schwieg und a n t w o r t e t e n i c h t s. (οὐδέν)	
W i e d e r u m f r a g t e i h n der *Hohepriester* und sagt ihm: B i s t d u der *Messias,* der Sohn des Hochgelobten?	Jesus a b e r a n t w o r t e t e gar n i c h t s (οὐκέτι οὐδέν), sodaß Pilatus sich verwunderte. Und *Pilatus* f r a g t e i h n (w i e d e r u m): B i s t d u der *König der Juden?*
Jesus a b e r sprach: *Ich bin es!*	
Der Hohepriester aber zerreißt seine Kleider und sagt: Was brauchen wir noch Zeugen? Ihr habt die Lästerung gehört. Was dünkt euch?	Er a b e r antwortete und sagt: *Du sagst es!*
Sie aber verurteilen ihn alle, des Todes schuldig zu sein.	
	(Da übergab Pilatus Jesus, nachdem er gegeißelt worden, zur Kreuzigung.)
V. 65	V. 16-20

In den Versen 14,53a und 15,1 liegen die Einleitungen der beiden Verhandlungen vor. Sie schließen jeweils an die vorausgehenden Szenen an und schildern, wie Jesus (τὸν Ἰησοῦν) der jeweiligen Gerichtsinstanz übergeben wird. Als die hauptverantwortlichen Richter werden der Hohepriester und Pilatus einander gegenübergestellt. Zwar hat das δήσαντες (gefesselt) von 15,1 in 14,53a keine Parallele, wohl aber in 14,46. Daß 15,2 ausdrücklich vom παραδιδόναι (überliefern) Jesu spricht, kann theologisch-apologetisches Gewicht haben: die jüdische Behörde hat ihren Messias den Römern ausgeliefert.

Die ausführlichere Schilderung der Anklage Jesu vor dem Synedrium (14,55f) hat in 15,3 eine ganz knapp gehaltene Parallele. Dennoch läßt das πολλά (viel) von 15,3 auch hier an einen sich länger hinziehenden Vorgang denken. Die unterschiedlichen Termini καταμαρτυρέω (zeugen gegen jmd.: 14,55.60) und κατηγορέω (anklagen: 15,3.4) dürften den verschiedenen Charakter der beiden Verhandlungen reflektieren: die Synedriumsverhandlung will die Verletzung religiösen Rechts (vgl. 14,64: βλασφημία = Lästerung) feststellen und benötigt dazu gemäß der jüdischen Prozeßordnung Zeugenaussagen, die Verhandlung vor Pilatus verhandelt ein politisch-kriminelles Vergehen und braucht dazu einen öffentlichen Ankläger.

Wichtiger als diese geringfügigen Unterschiede zwischen beiden Berichten ist ihre Übereinstimmung darin, daß die Beweisaufnahme der Anklage jeweils ergebnislos verläuft. Dies wird in 14,60.61a und 15,4.5 in deutlicher, zum Teil wörtlicher Parallelität dargestellt. Durch das Schweigen Jesu ist in beiden Fällen die Verhandlung an einem toten Punkt angelangt.

Auf dieses Schweigen Jesu folgt dann jeweils die zweite (πάλιν = wiederum), die Entscheidung bringende Frage des Richters (14,61b; 15,2a). Auch diese Fragen sind inhaltlich einander völlig parallel: während der Hohepriester nach der religiös verstandenen Messianität Jesu fragt, stellt Pilatus die *gleiche* Frage aus dem Horizont des römischen Politikers heraus.

14,62a und 15,2b, die Jesu Antwort bieten, sind ebenfalls weitgehend parallel. Beidesmal antwortet Jesus positiv: 14,62a mit einem offenen Bekenntnis, der Messias Israels zu sein; dagegen ist 15,2b zurückhaltender. Wie in 14,61b.62a dürfte aber auch in diese Antwort christliche Reflexion hineinspielen: »Jesus kann sich nicht im Sinne des Fragestellers als ›König der Juden‹ bezeichnen und ist es doch auf einer anderen Ebene«[2].

Die Reaktion des Richters auf Jesu Antwort und der Gerichtsbeschluß 14,63f haben in 15,1-5 keine Parallele. Doch dürfte im höchsten Maße wahrscheinlich sein, daß auch in der Verhandlung vor Pilatus nach der »geständigen« Antwort Jesu das Todesurteil ein-

---

[2] *Schnackenburg* II 286.

mal folgte. Es ist dann wegen des Einschubs 15,6-15 weggebrochen worden (s. o.). Vielleicht kann 15,15b als Fragment dieses Gerichtsbeschlusses angesehen werden; doch bleibt das unsicher.

Eine sachliche Parallelität der beiden Verhandlungsszenen liegt auch darin, daß beide mit einer Verspottung und Mißhandlung Jesu abschließen (14,65; 15,16-20a). Allerdings finden sich keine wörtlichen Übereinstimmungen. Beidemal ist aber der Rückgriff auf die vorausgehende Verhandlung deutlich: 14,65 wird Jesus seines religiösen Anspruchs wegen verspottet und mißhandelt, 15,16-20a wegen seines angeblichen politischen Vergehens.

Als *Ergebnis* wird man urteilen können: die Parallelität zwischen beiden Texten ist vollkommen. Sie schildern mit den gleichen kunstvollen literarischen Mitteln,[3] daß Jesus vom *jüdischen Synedrium* und vom *römischen Prokurator* zum Tode verurteilt wurde, weil er sich dazu bekannt hat, der Messias Israels zu sein. Daß die Synedriumsverhandlung stärker ausgestaltet worden ist als die Pilatusverhandlung, dürfte anzeigen, daß dem Erzähler am meisten an ihr liegt. Die geringfügigen Unterschiede zwischen beiden Stücken ergeben sich dagegen aus dem jeweiligen Charakter der beiden Prozesse: in 14,53a.55-65 handelt es sich um einen Religionsprozeß vor einem Richter*gremium*, in 15,1-5 um einen politischen Prozeß vor einem *Einzel*richter.

b) Die Deutung des Tatbestandes

Die Erklärung für diesen Tatbestand einer vollkommenen literarischen Parallelität zwischen 14,53a.55-65 und 15,1-5.16-20a wird in der kritischen Exegese fast einhellig darin gesehen, daß eine der Erzählungen dem Schema der anderen bewußt, aber sekundär nachgestaltet wurde.[4] Fast einhellig wird auch angenommen, die Synedriumsverhandlung sei die sekundäre Bildung, in der Pilatusver-

---

[3] Beachtlich ist auch, daß sich in beiden Stücken als den Dialog strukturierendes Element ein gleichmäßiger Wechsel zwischen καί und δέ findet.

[4] *Norden,* Agnostos Theos 195ff, dagegen meint, beide Erzählungen seien sekudär aneinander angeglichen worden: 14,61f sei aus 15,2-5, 15,4 aber aus 14,60 übernommen. Doch ist Nordens von Wellhausen übernommene Voraussetzung, in der Synedriumsverhandlung sei V.57-59.63f die ursprüngliche Textfolge, abzuweisen.

handlung dagegen sei das Schema ursprünglich. Schon Wendling[5] hatte diese Lösung entwickelt. Braumann kommt zum gleichen Ergebnis. Erstaunlich ist seine äußerst kurze, keineswegs am nächsten liegende Begründung: »Auf Grund dieser Parallelen muß eine Abhängigkeit des einen vom anderen vorliegen, und zwar wird die Pilatus-Verhandlung primär sein«[6]. Auch Gnilka[7] und Schneider[8] sehen keine Alternative zu dieser Lösung.[9] Gibt es sie nicht?

Von unseren bisherigen Analysen her legt sie sich allerdings nahe. Diese haben ergeben, daß die Synedriumsverhandlung keineswegs, wie oft angenommen wird, eine späte sekundäre Bildung ist, sondern schon wegen ihrer frühen Bearbeitung sehr alt sein und in der ältesten Passionsgeschichte gestanden haben muß. Ihre Verbindung zur vorausgehenden Szene der Gefangennahme Jesu ist völlig organisch. Gleiches gilt auch von der Pilatusverhandlung. Durch die schon sehr bald vorgenommene sekundäre Anfügung der Barabbas-Episode erweist auch sie sich als alt. Ihre Verbindung zur nachfolgenden Kreuzigungsszene ist ebenfalls ganz organisch. Da beide Stücke durch 15,1 schon ursprünglich eng miteinander verknüpft waren und 15,1-5 überhaupt auf die Synedriumsverhandlung zurückverweist (vgl. V. 3), bleibt meines Erachtens als einzig mögliche Schlußfolgerung: *beide* Erzählungen stammen von der gleichen Hand. Der erste Erzähler der Passionsgeschichte hat beide Verhandlungsberichte bewußt nach dem gleichen Schema und damit ein ein-

---

[5] Entstehung 178ff.

[6] ZNW 52, 278.

[7] Verhandlungen 12f.

[8] Szene 33; Schneider kommt Nordens Analyse nahe und erwägt wie dieser eine wechselseitige Abhängigkeit.

[9] Es muß hier angemerkt werden, daß die Lösungen zu unserem Problem bei den genannten Autoren natürlich mitbestimmt und zum Teil präjudiziert sind von einem ganzen Bündel von Argumenten und Lösungen zu den schwierigen literarkritischen Fragen der Passionsgeschichte überhaupt. Das tritt bei Gnilka am deutlichsten hervor. Auch bei meiner eigenen folgenden Lösung wird man die Verflechtung der Argumentation mit den bisherigen Analysen ohne Zweifel bemerken. Solche Verflechtung ist an sich kein methodischer Mangel, eher eine Sicherung, doch müssen die vorausgegangenen literarkritischen Entscheidungen immer wieder neu mitgedacht werden und korrigierbar bleiben.

drucksvolles Doppelbild geschaffen. Er schildert, wie Jesus durch die jüdisch-religiöse und die römisch-politische Instanz als Messias Israels zum Tode verurteilt worden ist.

Der Schluß, daß beide Stücke vom gleichen Erzähler stammen und bewußt nach gleichem Schema gestaltet worden sind, wird durch 15,32 bestätigt (s. u.): hier werden die beiden Titel von 14,61f (»der Christus«) und 15,2 (»der König der Juden«) in einem Schmähwort gegen den Gekreuzigten zusammengefaßt: »der Christus, der König Israels«. Daß dabei »der Juden« durch »Israels« ersetzt wird, ist nicht weiter auffällig, da das Wort jüdischen Sprechern in den Mund gelegt wird. 15,32 bezieht sich also offenbar auf *beide* Verhandlungsszenen zurück.

Im Blick auf unsere Frage nach der vormarkinischen Passionsgeschichte läßt sich von der literarkritischen Analyse des Abschnitts 14,53 - 15,20a her somit folgendes Ergebnis formulieren:

1. Der Abschnitt läßt sich als *größere literarische Einheit* aus *der gleichen* Hand erweisen.

2. Er setzt zu seinem Verständnis die Erzählung von der Verhaftung Jesu voraus (14,43-52) und schließt literarisch an diese an (14,53a).

3. Er weist auf die Darstellung der Kreuzigung Jesu voraus und bildet deren sinnvolle erzählerische Voraussetzung. Der Anschluß dieser Darstellung in 15,20b ist organisch.

4. Damit erweist sich unser Abschnitt selbst als Teil eines größeren, erzählerischen Zusammenhangs. Es scheint, daß wir in ihm den Mittelteil der vormarkinischen Passionsgeschichte vor uns haben.

B) AUSSAGE UND INTENTION DER URSPRÜNGLICHEN FASSUNG VON 14,53 - 15,20a

1. DER AUFBAU DES ABSCHNITTS

Durch Literarkritik haben wir als ursprünglichsten Bestand des Abschnitts über die beiden Verhandlungen folgende Verse ermittelt: 14,53a.55.56.60-62a.63-65; 15,1.3-5.2. . .(15b).16-20a. Der Aufbau des Abschnitts ist eindrucksvoll. Nacheinander werden zwei Gerichtsverhandlungen geschildert, die jeweils ihren Höhepunkt in dem Bekenntnis Jesu haben, der Messias Israels zu sein (14,62a; 15,2). Auf dieses Bekenntnis hin wird Jesus beidemal zum Tode verurteilt. Dem Bekenntnis Jesu und seiner Verurteilung voraus geht in beiden Szenen die Schilderung einer Beweisaufnahme gegen Jesus, die mit seinem *Schweigen* auf die Anschuldigungen endet und so die Wirkungslosigkeit und Falschheit der Anklagen dokumentiert (14,56-61a; 15,3-5). Durch diesen Erzählzug wird jeweils unterstrichen, daß im Bekenntnis Jesu der Höhepunkt der Erzählungen liegt. Es wird dadurch ein Zweifaches deutlich:

a) Jesus konnte wegen keines anderen »Deliktes« zum Tode verurteilt werden, als *weil* er der Messias Israels ist.

b) Nur aufgrund seines offenen Bekenntnisses konnte Jesus verurteilt werden. Er ist freiwillig *als* Messias Israels in den Tod gegangen.

Im Anschluß an die Verurteilung Jesu wird in beiden Stücken eine Spott- und Mißhandlungsszene angefügt, die die jeweils vorausgehende Thematik auf ihre Weise aufgreifen (14,65; 15,16-20a). Leuchtete in den Bekenntnissen Jesu seine Hoheit auf, so führen diese Szenen in die Passionsthematik ein und zeigen Jesus als den Geschmähten, Erniedrigten und Leidenden.

Sind die beiden Verhandlungsszenen auch von großer inhaltlicher und formaler Parallelität, so stehen sie doch nicht einfach *nebeneinander*. Vielmehr will der Erzähler einen gegenseitig sich bedingenden und voneinander her motivierten Geschehensablauf schildern. Die Verurteilung Jesu durch Pilatus hat daher die Synedriumsverhandlung zur Voraussetzung. Das wird in 15,1 deutlich, aber auch darin, daß einer der Richter aus der Synedriumsszene als Ankläger in der Pilatusverhandlung fungiert (vgl. 15,3). Damit sind auch die erzählerischen Gewichte zwischen beiden Erzählungen unterschiedlich verteilt. Zwar ist die Verurteilung durch Pilatus Grund und Anlaß für die Kreuzigung Jesu (vgl. 15,26), doch erhält die Synedriumsszene vom Erzähler darum demgegenüber größeres Gewicht, weil hier alles Weitere seinen Ausgang nimmt. Wohl deshalb ist auch 14,53a.55-65 in einigen Zügen ausführlicher als 15,1-5. Der Erzähler ist hier offenbar mit größerem Engagement bei der

Sache. Für ihn ist die Verwerfung des Messias durch die Organe des Volkes Israel das eigentliche Skandalon. Dieses größere erzählerische Gewicht der Synedriumsverhandlung gegenüber der Pilatusverhandlung muß trotz des gemeinsamen Aufbaus beider Szenen bei der Auslegung bedacht werden.

2. DIE THEOLOGISCHEN AUSSAGEN DES ABSCHNITTS

Vom Aufbau des Abschnitts her lassen sich zwei theologische Aussagen erfassen:

a) Jesus wird als Messias Israels verurteilt

Die zentrale Stellung des Messiasbekenntnisses Jesu in den beiden Szenen läßt ihre Aussageabsicht klar in den Blick kommen. Der Erzähler will sagen, daß Jesus der Messias Israels ist. Dazu hat sich Jesus selbst zweimal offen bekannt, dafür ist er zum Tode verurteilt worden.[1] Für den Erzähler wie für die von ihm repräsentierte Gemeinde steht unerschütterlich fest, daß im irdischen und durch die beiden Gerichtsinstanzen verworfenen Jesus der von den Schriften verheißene und in Israel erwartete Messias gekommen ist.[2] Die Frage des Hohenpriesters 14,61b wird also wie von Jesus selbst so auch vom christlichen Erzähler uneingeschränkt bejaht. Sie ist aus christlicher Sicht formuliert. Schon ihre Terminologie ist unjüdisch. Erst in der christlichen Gemeinde ist die alte Königstitulatur »Sohn« von 2 Sam 7,14; Ps 2,7 her auf den Messias übertragen worden. Damit erweist sich die Frage des Hohenpriesters an Jesus als nicht

---

[1] Vgl. *Bultmann*, GST 290; *Linnemann*, Studien 134; *Schneider*, Verleugnung 33.

[2] Zur jüdischen Messiaserwartung vgl. *Gressmann*, Der Messias (FRLANT 43) Göttingen 1929; *Bousset-Gressmann*, Religion 222ff; Bill. IV/2 799ff; *Hahn*, Hoheitstitel 133-158; *Grundmann*, ThWNT IX 482-576. — Die vielumstrittene Frage, ob das Judentum zur Zeit Jesu die Vorstellung von einem »leidenden Messias« bereits genannt hat (so zuletzt *J. Jeremias*, ThWNT V 676-698), wird heute fast einhellig negativ entschieden (vgl. *Lohse*, Märtyrer 108; *Rese*: ZThK 60 [1963] 21-41; *Hahn*, Hoheitstitel 153.159f; *Lehmann*, Auferweckt 253f).

authentisch, sondern bereits als »interpretatio christiana«.[3] In ihr liegt ein Ursatz urchristlicher Christologie vor.

Auch die Frage des Pilatus 15,2 wird von Jesus und mit ihm von der christlichen Gemeinde bejaht, doch nicht uneingeschränkt wie in 14,62a, sondern mit deutlicher Reserve (σὺ λέγεις = »du sagst es«).[4] Abgewiesen werden soll offenbar die rein politische Deutung der Messianität Jesu, wie sie in dem von Pilatus verwendeten Titel »König der Juden« mitschwingt.[5] In dem Sinne, wie Pilatus es meint, ist Jesus nicht König Israels; gleichwohl aber ist er es, weil er eben der Messias ist. Schon hier wird deutlich, daß die christliche Gemeinde ihr Messiasideal von politisch-nationalen Vorstellungen und Erwartungen gereinigt und so gegenüber der fast allgemeinen Hoffnung auf einen mächtigen Messiaskönig, die am deutlichsten in Ps Sal 17 zum Ausdruck kommt, zu einem fundamentalen Neuansatz der Messiashoffnung gefunden hat.[6] Dieser Neuansatz ist in 14,53 - 15,20a vielleicht überhaupt zum erstenmal vollzogen, indem hier der Messiastitel entgegen jüdischer Hoffnung auf den politisch Erfolglosen und Verurteilten, ja in 15,26 schließlich auf den *Gekreuzigten* angewendet und damit die jüdische Messiaserwartung geradezu auf den Kopf gestellt wird.[7] Dieser Neuansatz wird in der christlichen Gemeinde konsequent durchgehalten und schlägt sich traditionsgeschichtlich in zahlreichen Formeln und Bekenntnissen nieder, in denen der χριστός-Titel vor allem mit der Todesaussage verbunden wird (vgl. 1 Kor 15,3; 8,11; Gal 2,21; Röm 5,6.8; 1 Petr 3,18).[8]

Von dem Jesus, der hier vor seinen Richtern steht und zum Kreuz verurteilt wird, bekennt die christliche Gemeinde mit 14,53 - 15,20a,

---

[3] Vgl. *Lietzmann*, Prozeß 255; *Conzelmann*, Historie 47; *Lohse*, Geschichte 86; *Gnilka*, Verhandlungen 15; *Schneider*, Passion 62; *Grundmann*, ThWNT IX 520.

[4] Vgl. *Klostermann* 159; *Lohmeyer* 335; *Schmid* 290; *Schweizer* 194; *Schnackenburg* II 286; *Gnilka*, Jesus Christus 104.

[5] Dieser Titel ist der ins Politische gewendete Messiastitel; vgl. *Lohmeyer* 335; *Grundmann*, ThWNT IX 519.

[6] Vgl. *Hahn*, Hoheitstitel 217f.

[7] Vgl. *Hahn*, Hoheitstitel 348.

[8] Vgl. *Kramer*, Christos Kyrios Gottessohn (AThANT 44), Zürich 1963, 22f.34f.

daß gerade er der Messias ist. Das Kreuz hebt diesen Anspruch nicht auf, ja die ganze folgende Darstellung wird beweisen, daß sich gerade im Kreuz das Wesen seines Messiastums erfüllt (vgl. 15,20b-47). So hält die Gemeinde trotz aller jüdischen Polemik gegen einen *gekreuzigten Messias* (vgl. Gal 3,13; 1 Kor 1,23f) am Bekenntnis zum Messias Jesus fest.

b) Jesus leidet als »Gerechter«

Wie war die Aufrechterhaltung dieses Anspruchs, der *Gekreuzigte* sei der Messias, möglich; wie der Glaube, seine Messianität werde nicht nur durch das Kreuz nicht ausgeschlossen, sondern gerade im Kreuz erweise sie sich? Diese aller jüdischen Messiasdogmatik entgegenstehende Überzeugung der Urgemeinde war nur durchzuhalten aus der sicheren Gewißheit, daß sich im Kreuzesgeschehen der Wille Gottes vollzogen und Gott selbst sich zu seinem Messias bekannt hat. Letzteres erfuhr die Gemeinde durch die Begegnungen der erwählten Zeugen mit dem Auferstandenen. Den Willen Gottes mit dem Messias Jesus aber entnahm sie den alttestamentlichen Schriften.

Auch unser Abschnitt 14,53 - 15,20a läßt erkennen, daß die christliche Gemeinde das Geschick Jesu aus der Schrift zu deuten versuchte. Den wohl deutlichsten *Anklang* an eine alttestamentliche Schriftstelle enthält 14,65. Hier dürfte deutlich Jes 50,6 (LXX) im Hintergrund stehen, wie die in beiden Texten vorkommenden Stichworte ἐμπτύειν, πρόσωπον und ῥαπίσματα wohl beweisen.[9] Ebenso könnte Jes 50,6 auf 15,15b.19 eingewirkt haben. Ob der Erzähler neben Jes 50,6 noch andere alttestamentliche Schriftstellen, etwa Ps 22,8; 35,16.21; 70,4; 102,9; Jes 53,3.5 oder Weish 2,19 im Auge hatte, läßt sich allerdings nicht so sicher beweisen. Mit dem Anklang an Jes 50,6 kommt in den Blick, in welcher Haltung Jesus seine Mißhandlung und Verspottung erträgt: wie der leidende Gottesknecht. Dieser ist hier allerdings als Typus des alttestamentlichen

---

[9] Vgl. *Bultmann*, GST 303f; *Dibelius*, FG 193; *Lohmeyer* 330; *Maurer*, Knecht 7; *Haenchen*, Weg 514f; *Schweizer* 189; *Schneider*, Passion 64; *anders Suhl*, Zitate 58f.

»leidenden Gerechten« angesehen;[10] der Sühnegedanke des Gottesknechtsliedes Jes 53 spielt hier noch keine Rolle.[11]

Öfter ist das Schweigen Jesu in 14,61a und 15,5 als Anklang an
Jes 53,7 angesehen worden.[12] Das dürfte jedoch schwerlich zutreffen;[13] der Sinn ist dort, daß der Gottesknecht ohne zu klagen *leidet*.
In 14,61a; 15,5 aber steht das Schweigen Jesu im Zusammenhang
mit den gegen ihn erhobenen Anklagen. Es liegt näher, hier Anklänge an Ps 38,13-15; 39,10 anzunehmen.[14] Diese Psalmen gehören
zu den Leidenspsalmen, die das Geschick des »leidenden Gerechten«
schildern und, wie noch unten genauer nachzuweisen ist, als alttestamentlicher Hintergrund der Passionserzählung zu gelten haben.
Auch auf die übrige Schilderung der beiden Gerichtsszenen haben
sie wohl eingewirkt (zu 14,56; 15,3 vgl. Ps 27,1; 35,11; 109,2f;
119,69; zu 14,55.64; 15,15b vgl. Ps 37,32; 70,2f; Weish 2,20).

Allerdings findet sich in 14,53 - 15,20a kein ausgeführter Schriftbeweis. Die Anklänge an Jes 50,6 und die Leidenspsalmen sind eher
die *Farben*, mit denen der Erzähler das Geschick des Messias Jesus
malt. Er will Jesus nicht durch den Schriftbeweis als »leidenden Gerechten« schlechthin erweisen, wohl aber will er darstellen, daß *auch
der Messias* nach Gottes Willen an dem Geschick teilhaben muß, das
alle Gerechten in Israel getroffen hat: Verachtung, Leiden und Tod
durch die Gottlosen. Auch der Messias hat das Geschick der Gerechten zu bestehen, das die Leidenspsalmen, Jes 52,13 - 53,12 und
Weish 2,10-20 als einen Weg durch ungerechtes Leiden und gewalt-
sames Sterben hindurch zur triumphalen Erhöhung durch Gott (vgl.
Ps 22,23ff; Jes 52,13.15; 53,12; Weish 5,1-7) darstellen. Aus der
gläubigen Reflexion des Alten Testaments gewinnt die christliche
Gemeinde die Möglichkeit, an der Messiaswürde des Gekreuzigten
festzuhalten: Auch der Messias als der Gerechte schlechthin hatte
Leiden und Tod als von Gott gewolltes und in der Schrift verbürg-

---

[10] Vgl. *Ruppert* s. u. Exkurs.

[11] Gegen *Maurer*, Knecht 7f.

[12] Vgl. *Jeremias*, Παῖς 210; *Maurer*, Knecht 9; *Haenchen*, Weg 514; *Linnemann*, Studien 131.

[13] Vgl. *Wolff*, Jesaja 53 im Urchristentum, 1942, 66ff; *Suhl*, Zitate 59f;
Schneider, Passion 62; *Gnilka*, Jesus Christus 103.

[14] *Linnemann*, Studien 131; *Gnilka* ebd.

tes Geschick der Gerechten zu bestehen. Mit dem Alten Testament bejaht die Urgemeinde im Glauben, daß das Leidensgeschick des Gerechten nicht Gottverlassenheit bezeugt, sondern gerade größte Nähe zu ihm. So wird auch Jesus als Messias nicht durch Passion und Kreuz widerlegt, sondern als der Gekreuzigte widerlegt er die falschen Hoffnungen jüdischer Theologie. Indem die christliche Gemeinde das Leiden als gottgewolltes Geschick der Gerechten annimmt, gewinnt sie die Möglichkeit, auch das Todesschicksal des Messias Jesus von diesem göttlichen »Muß« her zu deuten.

Wir haben also in 14,53 - 15,20a ein eindrucksvolles Zeugnis des lebendigen Glaubens der Urgemeinde vor uns. Von Ostern her beginnt sie, Passion und Kreuz Jesu positiv und im Licht des im Alten Testament niedergelegten Gotteswillens zu deuten: sie widerlegen nicht die Messiaswürde Jesu, sondern bestätigen sie vielmehr, denn auch der Messias ist dem Geschick der alttestamentlichen Gerechten unterworfen. Die Gemeinde erfährt so das alttestamentliche Frömmigkeitsideal des »leidenden Gerechten« als Heilsweg Gottes. In bewußter Übernahme dieses Ideals und in glaubender Zustimmung zu dem Gott, der seinen Grechten Leiden und Tod als Los auferlegt, um sie zu retten, kann die christliche Gemeinde sich von allen königlich-politischen Messiashoffnungen lossagen. Indem sie sich entgegen aller jüdischen Messiaserwartung zum *gekreuzigten Messias* bekennt, anerkennt sie, daß Gott anders ist und handelt, als es der Mensch von sich aus erwartet. Sie stellt sich glaubend unter das zunächst unfaßbare, so völlig sinnlos scheinende und aller Messiasdogmatik widersprechende Kreuz Jesu und ist bereit, darin Gott selbst am Werk zu sehen. Sie glaubt Gottes Handeln im *Messias* Jesus auch dort, wo der selbstsicher Fromme, der dogmatisch immer schon weiß, wie Gott handeln muß, nur Verwerfung und Gericht sehen kann. Am Geschick des gekreuzigten Messias ist der Gemeinde aufgegangen, daß Gott mit den Verlierern sein will; darum kann sie alle selbstsüchtig-politischen Heilserwartungen von sich abwerfen und bekennen: im *Gekreuzigten* hat Gott gehandelt! Er ist der Messias. In ihm ist alle Hoffnung erfüllt, die Israel empfangen und mit sich getragen hat, die das jüdische Volk aber in der Verurteilung Jesu von sich geworfen hat und nun in Gefahr ist, endgültig zu verlieren.

3. Die Tendenz des Abschnitts

Nach dem oben Gesagten ist es unmöglich, hinter 14,53 - 15,20a nur ein unmittelbar historisches Interesse am Werk zu sehen, das sich damit begnügt, den *Verlauf* der Ereignisse objektiv-genau festzuhalten. Vielmehr ist deutlich zu spüren, daß der Erzähler christlich-engagiert und mit apologetischer Tendenz berichtet. So ist das Synedrium als voreingenommene Partei dargestellt (vgl. 14,55f), die Messiasfrage des Hohenpriesters spiegelt *christliche* Reflexion und ist so historisch undenkbar, die Kennzeichnung der Antwort Jesu in V. 62a als *Blasphemie* ist historisch unhaltbar.[15] »Wohl aber kann dieser Vorwurf vollauf aus der Situation der christlichen Gemeinde erklärt werden . . . Denn zwischen Juden und Christen bildete in der Tat das Bekenntnis zur Messianität Jesu den eigentlichen Kontroverspunkt harter Auseinandersetzungen.«[16] Hier ist die Erzählung also von den aktuellen Problemen der Gemeinde geprägt.[17] Auch wird man wohl mit Recht infragestellen dürfen, ob der Hohepriester tatsächlich, wie in 15,3f geschildert wird, bei der Pilatusverhandlung als Ankläger aufgetreten ist. Auch hier ist antijüdische Polemik im Spiel.

Dennoch wird man dem Bericht wegen seiner frühen Abfassung eine große Nähe zu den dargestellten Ereignissen nicht absprechen dürfen. Insgesamt scheint er als denkbaren historischen Tatbestand vorauszusetzen, daß Jesus von den jüdischen Behörden, aus welchen Gründen auch immer, als politisch gefährlicher Messiasprätendent an die Römer ausgeliefert und von diesen gekreuzigt worden ist.[18] Es ist jedenfalls undenkbar, daß erst die frühe Passionsgeschichte aus apologetischen Tendenzen dem Synedrium eine Mitschuld an Jesu Tod nachgesagt hätte; vielmehr muß diese Behörde tatsächlich bei Jesu Hinrichtung ihre Hand im Spiel gehabt haben. Wie allerdings das genaue historische Verhältnis der Aktivität des Syne-

---

[15] Vgl. *Lietzmann,* Prozeß 255; *Lohse,* Geschichte 86f.

[16] *Lohse,* Prozeß 37.

[17] *Burkill,* Revelation 289ff.

[18] *Lietzmann,* Prozeß 261f; *Lohse,* Prozeß 38; *Hahn,* Hoheitstitel 178; *Grundmann,* ThWNT IX 520. — Über Recht und Notwendigkeit weiterer historischer Rückfragen vgl. *Schubert,* Kritik 421ff.

driums und des Todesurteils durch Pilatus zueinander war, muß ungeklärt bleiben. Fest steht nur, daß Jesus *gekreuzigt*, das heißt also, nach römischem Recht abgeurteilt worden ist. Der Erzähler könnte auch die möglicherweise nur *indirekte*, moralische Schuld des Synedriums an Jesu Tod dadurch verobjektiviert haben, daß er nun ein regelrechtes Verfahren dieses Gremiums mit abschließendem Todesurteil schildert.

Der Erzähler schreibt also offensichtlich mit einer polemischen Tendenz. Er will die Mitschuld des Synedriums am Tode Jesu herausstellen. Gleichzeitig aber bestimmt ihn eine apologetische Tendenz, insofern er das christliche Bekenntnis zum gekreuzigten Messias verteidigt.[19] Schließlich ist seine Tendenz eine werbende: der Hörer soll vor die für ihn entscheidende Frage gestellt werden, ob er diesen leidenden und gekreuzigten Jesus als den Messias, in dem Gott seine Verheißungen zu erfüllen begonnen hat, annehmen und so das Skandalon des Kreuzes mit der christlichen Gemeinde im Glauben überwinden will. Zugleich gilt der Abschnitt der Gemeinde und soll diese in ihrem Bekenntnis zum *gekreuzigten Messias* bestärken.

Wir haben in 14,53 - 15,20a also einen Bericht vor uns, dessen historische Begründung nicht bestritten zu werden braucht, der aber doch nicht historischer Bericht, sondern Bekenntnis zum *gekreuzigten Messias Jesus* sein will, auf dem Hintergrund der Situation der christlichen Urgemeinde, die gerade in dieser Frage sich mit dem orthodoxen Judentum auseinandersetzen mußte.

EXKURS

DAS MOTIV VOM »LEIDENDEN GERECHTEN«

Die zahlreichen teils deutlichen teils vagen Anklänge der Passionsgeschichte an bestimmte alttestamentliche Texte, vor allem an die Leidenspsalmen und an die deuterojesajanischen Gottesknechtslieder, haben die Exegese schon immer beschäftigt. *Bultmann*[1] faßt sie

---

[19] *Lohse*, Geschichte 88; *ders.*, Prozeß 38.
[1] GST 303f; vgl. *Feigel*, Der Einfluß des Weissagungsbeweises und anderer Motive auf die Leidensgeschichte, Tübingen 1910: Der Weissagungsbeweis wollte das Ärgernis des Kreuzes beseitigen. Er wirkte geschichtsbildend (zur Kritik vgl. *Blinzler*, Zum Prozeß 48).

unter den Begriff des »Weissagungsbeweises«. Doch der Unterschied zu den übrigen Reflexionszitaten des Neuen Testaments ist unübersehbar. Hier werden nicht alttestamentliche Stellen ausdrücklich zitiert, sondern diese gehen wörtlich oder nur als Anklänge in den Text des Passionsberichtes ein. *Dibelius,* der darin ebenfalls den *Schriftbeweis* am Werke sieht, versucht dieser Eigenart besser gerecht zu werden: daß im Passionsgeschehen »Gottes Willen geschehen war, ahnten, wußten alle, die den Auferstandenen bekannten. Bewiesen wurde es ihnen durch die Schrift des Alten Testaments ... Bestimmte Zitate aus dem Alten Testament werden aber in diesem Zusammenhang nicht beigebracht ... Darin lebt vielleicht eine alte Übung fort. Es ist wahrscheinlich, daß der Schriftbeweis zunächst nur Postulat war, ein im Osterglauben wurzelndes Postulat. Der Osterglaube aber barg die Gewißheit, daß auch das Leiden Jesu nach Gottes Willen geschehen sei; und Gottes Wille mußte in der Schrift zu finden sein ... Man fand dann in bestimmten alttestamentlichen Texten — Ps 22; 31; 69; Jes 53 — das Leiden Jesu im voraus geschildert; man las diese Texte wieder und wieder als Passionsevangelium; daraus erwuchs ... eine Vorstellung von Leidensweg und Leidensstunde. Zusammenhängende Berichte mußten diesen Vorstellungen gerecht werden; so kamen diese im Alten Testament beheimateten Motive in den Text der Passion. Das geschah zumeist ohne Zitierung der alttestamentlichen Worte, lediglich in Form der Erzählung. Dem Kundigen war dies genug ... Nicht exegetischem Eifer entstammen also diese alttestamentlichen Beziehungen der Leidensgeschichte, sondern heilsgeschichtlichem Verstehen ... Es galt zu zeigen, daß ein paradoxes Geschehen den Beginn der Endzeit, also ein Stück der Heilsvollstreckung darstellte. Der Christus mußte solches leiden«[2].

---

[2] FG 184ff. — An dieser Stelle ist der Versuch von *Maurer,* ZThK 50 (1953) 1-38, zu nennen, der die Ansätze von Dibelius aufgreifend im Anschluß an *J. Jeremias* (ThWNT V 676ff) erweisen will, daß »der deuterojesajanische Gottesknechtsgedanke als entscheidender Faktor bei der Bildung und Gestaltung der Passionsgeschichte« anzusehen sei (S. 2). Er führt dazu die unglückliche Unterscheidung zwischen einem Schriftbeweis »de verbo« und »de facto« ein. Letzterer sei bei Mk vorherrschend und schildere »durch die bloße Erzählung von Tatsachen die Er-

Suhl hat die These von Dibelius modifiziert: nicht der Schrift*beweis* war ein im Osterglauben wurzelndes Postulat, sondern die Behauptung der Schrift*gemäßheit*.[3] »Näher liegt es, daß die als Gotteshandeln geglaubten Ereignisse unter dem Postulat der Schriftgemäßheit so erzählt wurden, daß man sie, sofern man sich dessen bewußt wurde bzw. passende Formulierungen fand, *in alttestamentlichen Wendungen* erzählte. Dabei ging es zunächst noch gar nicht um ›Weissagung und Erfüllung‹, sondern um Auslegung des Jesusgeschehens mit Hilfe des AT: Indem man das Neue in den ›Farben‹ des Alten erzählte, machte man deutlich, daß es auch im Neuen um dasselbe wie im Alten, nämlich um Gottes Heilshandeln ging.«[4]

Als erster hat dann *Schweizer* zu zeigen versucht, daß hinter den alttestamentlichen Anspielungen der Passionsgeschichte nicht nur einzelne, zufällige Texte des Alten Testaments stehen, sondern daß hier eine im Alten Testament und Judentum schon ausgebildete geprägte Vorstellung vom »leidenden Gerechten«[5] eingewirkt hat. Diese sieht Schweizer überhaupt als höchst bedeutungsvoll für das Selbstbewußtsein Jesu und die frühe Christologie an.[6] »Das im Spätjudentum weit verbreitete Schema von Erniedrigung und Erhöhung des leidenden Gerechten entspricht dem tatsächlichen Weg Jesu derart, daß es höchst verwunderlich wäre, hätte man Jesu Weg nicht darin vorgezeichnet gesehen. Daß dies tatsächlich geschah, beweist die Passionsgeschichte, die voller Anspielungen auf die Psal-

---

füllung der Schrift in der Person Jesu« (S. 7). Maurers Überlegungen können nicht überzeugen. Er unterscheidet weder zwischen markinischer Redaktion und vorgegebener Tradition, noch berücksichtigt er neben den Anklängen an Dt-Jes die übrigen alttestamentlichen Anklänge in der Passionsgeschichte. Entscheidend spricht schließlich gegen ihn, daß in der von uns als ursprünglich angesehenen Passionsgeschichte sich weder der Titel »Gottesknecht« noch die für Jes 52,13ff charakteristische Vorstellung vom »stellvertretenden Sühnetod« findet. Wo auf den dt-jes Gottesknecht verwiesen wird, ist dieser als Typ des »leidenden Gerechten« angesehen.

[3] Zitate 39.

[4] Zitate 46f.

[5] Erniedrigung 21ff. — Zum »leidenden Gerechten« vgl. auch *Popkes*, Christus traditus (AThANT 49) Zürich 1967, 74ff; ThWNT II 184-193; *Lehmann*, Auferweckt 327ff.

[6] Erniedrigung passim.

men vom leidenden Gerechten ist.«[7] »Das ist nicht apologetisches Bemühen der Urgemeinde, die vor ihren Feinden oder auch vor ihren eigenen Zweifeln diesen Weg Gottes rechtfertigen will; denn bei Markus fehlt noch jeder Hinweis darauf, daß solches schon im Alten Testament vorausgesagt sei. Alttestamentliche Sätze oder Satzteile fließen hier noch unreflektiert ein. Das zeigt, daß ›das älteste Buch der Passion Jesu für die Urgemeinde die Psalmen vom Leiden des Frommen waren‹.«[8]

Neuerdings hat *Ruppert* in einer umfangreichen und methodisch außerordentlich gründlichen Untersuchung, deren erster[9] und dritter Teil[10] bereits veröffentlicht sind, die *geprägte Vorstellung* vom »leidenden Gerechten« durch das Schrifttum etwa eines Jahrtausends israelitischer Religionsgeschichte *motivgeschichtlich* verfolgt. Da er selbst zweimal Gang und Ergebnisse seiner Studie knapp und überschaubar zusammengestellt hat,[11] kann hier eine Zusammenfassung unterbleiben.

Ruppert gelingt im ersten Teil seiner Arbeit (FzB 5) der Nachweis eines in neutestamentlicher Zeit bereits im Wesentlichen ausgebildeten »Dogmas« von der *passio iusti* (Leiden des Gerechten), welches besagt, »daß der Gerechte *auf Grund* seiner Gerechtigkeit ... leiden *muß*«.[12] Dieses »Dogma« ist die Endstufe einer langen Entwicklung des Motivs vom »leidenden Gerechten«, an deren Anfang die älteren individuellen Klage- (und Dank-)Lieder stehen, in denen die Gerechtigkeit des Frommen durch sein Leiden in Frage gestellt, aber durch Gottes epiphanes Eingreifen (vgl. Ps 18) oder im Falle des ungerecht Angeklagten durch die Institution des priesterlichen Heilsorakels bei der sakralen Rechtsfindung im Heiligtum nachträglich bestätigt wird (vgl. Ps 7; 17; 35; 54; 56; 69; 71 u. a.). Noch wird

---

[7] Erniedrigung 50.

[8] Erniedrigung 56f.

[9] Der leidende Gerechte. Eine motivgeschichtliche Untersuchung zum Alten Testament und zwischentestamentlichen Judentum (FzB 5) Würzburg 1972.

[10] Jesus als der leidende Gerechte? Der Weg Jesu im Lichte eines alt- und zwischentestamentlichen Motivs (SBS 59) Stuttgart 1972.

[11] Vgl. FzB 5, 182–189; SBS 59, 15–28.

[12] SBS 59, 42.

hier das Leiden vom betenden Frommen als Skandalon und Anfechtung empfunden. In den Motivkreis vom »leidenden Gerechten«
gehört auch Jes 52,13 - 53,12, insofern der Gottesknecht Jes 53,11
ausdrücklich »Gerechter« genannt wird und das Lied formale Ähn-
lichkeiten mit den individuellen Klage- und Dankliedern des Psal-
ters hat.[13] Großen Einfluß auf die Entwicklung des Motivs hin zum
»Dogma« hat die gesetzesorientierte Weisheit. In den von ihr beeinflußten Psalmen (vgl. Ps 34; 37; vor allem aber Ps 119) wird
nun bereits eine wirkliche Leidenstheologie entfaltet: der Gerechte
muß *als Gerechter* verfolgt und angefeindet werden, aber Gott wird
ihn erretten.[14] Weitere Einflüsse auf das Motiv bringt die Septuaginta (Armentheologie) mit sich; Zwischenstufen stellen die Susam-
nageschichte und die Qumranschriften (vgl. 1 QH 2-8) dar.[15] Ihre
höchste Entfaltung findet das Motiv von der *passio iusti* (Leiden
des Gerechten) aber erst in der Apokalyptik und der von ihr beeinflußten Literatur. Noch in vorchristlicher Zeit begegnet es so
voll ausgebildet in dem außerordentlich bedeutsamen Text Weish
2,12-20; 5,1-7, einem »Diptychon«, das Jes 52,13 - 53,12 aktualisie-
rend aufgreift und verarbeitet.[16] Schon nachchristliche Belege sind
4 Esr 7,79.89.96; 8,27.56ff und syrBar 15,7f; 48,49f; 52,6f.[17]
Damit hat Ruppert sichergestellt, daß die christliche Gemeinde bei
der theologischen Bewältigung des unbegreiflich scheinenden Leidensschicksals Jesu auf eine allgemeine und schon voll ausgebildete
geprägte Vorstellung vom »leidenden Gerechten« zurückgreifen
konnte. Hat sie es auch getan? Hat sie etwa in der Passionsgeschichte Jesus als »leidenden Gerechten« dargestellt? Dieser Frage geht
Ruppert im dritten Teil seiner Arbeit nach (SBS 59). Er tut es in
kritischer Auseinandersetzung mit der Arbeit Schweizers (s. o.).
Diese Kontroverse kann, soweit sie die Passionsgeschichte nicht direkt betrifft, bei der folgenden Darstellung beiseite gelassen werden.

---

[13] FzB 5, 49f.
[14] FzB 5, 41-45.
[15] FzB 5, 56-70.114-133.
[16] FzB 5, 70-95.
[17] FzB 5, 134-180.

Ruppert geht aus von der »Frage nach der Gattung der Passionsgeschichte« und stellt fest: die Gattungsmerkmale der »Martyrienlegende« oder des »Martyriums« versagen zu ihrer Kennzeichnung. Dagegen berührt sie sich mit Weish 2,12-20; 5,1-7: »Jesus wie jener geheimnisvolle ›Gerechte‹ sind weniger heroische Akteure als ›Objekte‹ in dem ergreifenden Drama jener Texte«, und beide Texte zielen auf die nach dem gewaltsamen Tod eintretende Verherrlichung (vgl. Weish 5,1-7 und die Ostergeschichten).[18] In Mt 27,19; Lk 23,47; Apg 3,14; 7,52; 22,14; 1 Petr 3,18; 1 Joh 2,1) sieht Ruppert dann bestätigt, daß Jesus, auch wenn redaktionelle Eingriffe in die obigen Texte nicht geleugnet werden können, traditionsgeschichtlich sehr früh in Verbindung mit seiner Passion als »Gerechter« bezeichnet worden ist.[19] »Was lag dann näher, als Jesu Passion . . . als *Passio Christi, id est iusti* zu begreifen« (vgl. wieder Weish 2,12-20; 5,1-7).[20]

Wegen des oft vagen und undeutlichen Charakters der Psalmanklänge in der Passionsgeschichte schließt auch Ruppert aus, daß diese als (implizierter) Schrift*beweis* zu werten sind, mit dem das Leiden Jesu als im Alten Testament vorausgesagt bewiesen werden soll. Hinzu kommt, daß Anklänge vor allem an solche Psalmen bestehen, die mit einem Danklied oder Dankgelübde schließen (Ps 22; 69) und damit die endgültige Errettung und Verherrlichung des leidenden Jesus immer schon anklingen lassen.[21] Hier ist somit wiederum das Schema der *passio iusti,* wie es sich vor allem Weish 2,12-20; 5,1-7 findet, für die Passionsgeschichte maßgebend.[22] Sodann liegt gerade dieser Text in Mk 14,53a.55-65 zugrunde.[23] Aus all dem schließt Ruppert, daß »das Motiv der passio iusti in der älteren Fassung der Leidensgeschichte« dominiert.[24]

---

[18] SBS 59, 45f.

[19] Vgl. *Schweizer,* Erniedrigung 53ff; *Dechent:* ThStK 100 (1927/28) 439-443.

[20] SBS 59, 48.

[21] Vgl. auch *Flessemann - van Leer,* Interpretation 92f.

[22] SBS 59, 48ff.

[23] SBS 59, 53ff.

[24] SBS 59, 58.

»Daß die Urgemeinde in ihrer Schrift, dem Alten Testament, gerade im Zusammenhang mit der Leidensgeschichte Jesu so intensiv meditierte, läßt an mehr als bloße Schriftfrömmigkeit denken: nur mittels der Schrift konnte die Urgemeinde die Anstöße überwinden, die sich — nicht zuletzt von der Schrift her (›Verflucht ist, wer am Holze hängt‹: Gal 3,13; vgl. Dtn 21,23) — gegen den Glauben an einen gekreuzigten Messias erhoben. Natürlich war es wenigstens zunächst keine nach außen gerichtete Apologetik, die der Passionsgeschichte ihren Stempel aufprägte, sonst würden Reflexionszitate und explizite Schriftbeweise in ihrer ältesten Schicht nicht fast völlig fehlen; es war die gläubige Gemeinde selbst, die auf Grund der Schriftmeditation . . . des göttlichen Muß hinsichtlich des Leidens Jesu als des Messias inne wurde . . . (es) kann nur die Wertung des Leidens Jesu als in der Schrift grundgelegte *passio iusti* der Schlüssel für eben dieses göttliche Muß gewesen sein: der an Ostern erfahrenen Verherrlichung *des Gerechten* mußte eben ein schmachvolles Leiden vorausgehen.«[25]

Der These Rupperts, die ursprüngliche Passionsgeschichte sei vom Motiv der *passio iusti* entscheidend geprägt, wird man zustimmen müssen. Nur so ist wirklich erklärbar, warum die Psalmenanklänge nicht gekennzeichnet werden, warum sie oft ungenau und nicht deutlich genug einem bestimmten Psalm zuzuweisen sind, warum offenbar *ein* Zug des Motivs den anderen anzog und so eine ganze Topik sich herausbildete, die in der weiteren Geschichte des Textes noch aufgefüllt wurde (vgl. Mt/Lk/Joh). Doch sind gegenüber Rupperts Argumentation auch Einschränkungen zu machen:

1. Wir werden unten nachweisen, daß 16,1-8 ursprünglich *nicht* mit der Passionsgeschichte verbunden war, sondern daß diese mit 15,42-47 abschloß. Zwar ist selbstverständlich, daß der Erzähler vom Osterereignis her denkt und erzählt, aber die Ostergeschichten können nicht zur Gattungsbestimmung der Passionsgeschichte herangezogen werden. Die enge Parallelisierung der Passionsgeschichte mit Weish 2,12-20; 5,1-7 durch Ruppert ist daher nicht gerechtfertigt.

---

[25] SBS 59, 59.

2. Abgesehen von der traditionsgeschichtlich schwierigen Frage einer frühen christologischen *Titulierung* Jesu als »Gerechter« ist zu betonen, daß dieser Titel in der Passionsgeschichte selbst gerade nicht vorkommt. In ihr wird Jesus bewußt und sehr betont als *Messias* tituliert.

3. Trotz der Verwendung von Ps 22; 69 u. a. wird der Ausblick auf die endgültige Errettung Jesu in der Passionsgeschichte nirgends *ausdrücklich*. Mk 14,62b konnten wir als sekundär erweisen. Daß die Gemeinde selbstverständlich von Ostern her denkt, reicht nicht aus, um in der Passionsgeschichte und Weish 2,12-20; 5,1-7 das gleiche, doch wohl literarische Schema anzunehmen.

4. Daß Weish 2,12-20, allerdings keineswegs ausschließlich, die Schilderung von Mk 14,55-65 beeinflußt hat, ist möglich.[26] Dagegen dürfte aber Weish 5,1-7 auf Mk 14,55-65 nicht eingewirkt haben.

Diese Einwände richten sich nur gegen Rupperts zu enge literarische Parallelisierung der Passionsgeschichte mit Weish 2,12-20; 5,1-7, wollen aber seine These nicht grundsätzlich treffen. Doch ist auch der von Rupperts Überlegungen her naheliegende Schluß abzuweisen, die Passionsgeschichte zeige Jesus *als* den »leidenden Gerechten«. Vielmehr wird in ihr der *Messiastitel* auf den *Gekreuzigten* bezogen. Das geschieht mit deutlicher *apologetischer Tendenz*. Die Gemeinde hält gegenüber der Polemik und Ablehnung des Judentums an der Messianität Jesu fest. *Dazu* bedient sie sich der geprägten Vorstellung vom »leidenden Gerechten«. Passion und Kreuz des *Messias* Jesus sind von diesem Motiv her zu begreifen. Auch der Messias steht unter dem »Dogma«, daß »der Gerechte viel leiden muß, der Herr ihn aber aus dem allem errettet« (Ps 34,20). So zeichnet die Gemeinde das Schicksal des Messias in den Farben und Zügen des Motivs der *passio iusti*.

Die theologische Leistung der Passionsgeschichte besteht also darin, daß die christliche Gemeinde hier die geprägte Vorstellung von der *passio iusti* mit der jüdischen Messiasdogmatik verbindet und so den *gekreuzigten Messias* Jesus verkünden kann.[27] Diese Verbindung ist zwar kein Schriftbeweis im strengen Sinn, weil nicht eine

---

[26] Vgl. auch *Maurer*, Knecht 26.
[27] *Schnackenburg* II 295.

oder mehrere Schriftstellen, sondern eine alttestamentlich begründete, im apokalyptischen Judentum voll ausgebildete *theologische Vorstellung* herangezogen wird. Gerade dies ist aber auch der Grund, warum die Verbindung dennoch *beweisend* ist. Ein Schriftbeweis im üblichen Sinn braucht gar nicht geführt zu werden, weil der christlichen Gemeinde bereits eine allgemeine und geprägte Vorstellung, eine ganze Leidensdogmatik zur Verfügung stand. Das Fehlen eines Reflexionszitates spricht daher nicht dagegen, daß die Gemeinde *mit der Erzählung* gleichwohl argumentieren will, und zwar durchaus auf einer schrifttheologischen Ebene. Diese Argumentation richtet sich keineswegs nur nach innen und dient nicht nur der eigenen Glaubensbegründung, sie zielt auch auf Außenstehende und will sie gewinnen. Der apologetisch-werbende Akzent der Passionsgeschichte darf daher nicht übersehen werden.

II. Kapitel

Mk 15,20 b-47

A) LITERARKRITISCHE ANALYSE VON 15,20b-47

1. Der Abschluss der Passionsgeschichte in 15,42-47 *

a) Mk 16,1-8

An anderer Stelle habe ich dargestellt, daß die Erzählung vom Gang
der Frauen zum leeren Grab 16,1-8 ursprünglich selbständig war
und erst sekundär mit ihrem vorausgehenden Kontext verknüpft
worden ist, vermutlich von Mk selbst.[1] Die dortige Argumentation
kann aufrecht erhalten werden. Wichtigster Gesichtspunkt in ihr
war der Aufweis einer Spannung zwischen den beiden unmittelbar
aufeinander folgenden Zeuginnenlisten 15,47 und 16,1, die erst
durch Mk in 15,40f ausgeglichen wurde.

Ich gehe also davon aus, daß die ursprüngliche Passionsgeschichte
nicht mit 16,1-8 endete. Dann stellt sich die Frage, ob die *Grablegungsgeschichte* von jeher ihren Abschluß gebildet hat. Das scheint
mir schon aus mehreren mehr allgemeinen Erwägungen heraus
durchaus wahrscheinlich zu sein:

— Es findet sich sonst keine Stelle, mit der die Passionsgeschichte
geendet haben könnte.

— 15,42-47 hat formal und inhaltlich durchaus *abschließenden*
Charakter.

— Eine Nachricht über die Bestattung Jesu ist als Abschluß der Passion durchaus zu erwarten.

Im folgenden muß also das literarische Verhältnis von 15,42-47
zur vorausgehenden Passionsgeschichte geprüft werden.

b) Mk 15,42-47 als Abschluß der Passionsgeschichte

Zuletzt hat Broer in einer eingehenden Untersuchung der Grablegungsgeschichte deren ursprünglich selbständigen Charakter nachzuweisen versucht. Seine Gründe überzeugen aber nicht. Sein eigent-

---

* Lit.: *Broer*, Urgemeinde.
[1] *Schenke*, SBS 33, 11-30; vgl. *Broer*, Urgemeinde 82ff.135ff.

lich literarkritisches Argument, daß die bei der Kreuzigung Jesu auftretenden Personen mit Ausnahme des Hauptmanns in der Grablegungsgeschichte keine Rolle mehr spielen, dafür nun aber neue Personen (Josef v. A., die Frauen) eingeführt werden, worin die Unabhängigkeit der Grablegung vom Passionsbericht sich zeige, ist unbrauchbar.[2] Da in der Tat gegenüber der Kreuzigungsszene 15,20b-39 in 15,42-47 ein *neuer Akt* der Passion erzählt werden soll, ist ein Wechsel der agierenden Personen durchaus zu erwarten. Dennoch ist durch den 15,39 und 15,45 erwähnten heidnischen Hauptmann eine erzählerische Kontinuität gewahrt;[3] ebenso durch Pilatus, der in einem letzten richterlichen Akt den Leichnam Jesu freigibt. Es dürfte näherliegen, daß 15,42-47 von jeher Teil der Passionsgeschichte gewesen ist.

Kein wirklicher literarkritischer Grund spricht dagegen. Spannungslos kann vielmehr die Grablegungsgeschichte an den Passionsbericht anschließen, sobald 15,40f und Teile von 15,42 als Redaktion erkannt sind. 15,42-47 schildert also die Grablegung als letzten Akt der Passionsgeschichte: dem vom Synedrium und Pilatus zum Tode verurteilten und gekreuzigten Messias wird von einem seiner Richter doch noch die Ehre einer würdigen Bestattung zuteil, so wie schon zuvor auch einer seiner Schergen dem gekreuzigten Messias die Ehre gegeben hat (V. 39).

c) Literarkritische Analyse von 15,42-47

In seiner literarkritischen Untersuchung der Grablegungsgeschichte, die sich allerdings fast durchweg nur des Kriteriums der Wortstatistik bedient, schält Broer aus dem jetzigen Bericht folgenden Urbericht heraus:

> Weil es Rüsttag war (das ist Vorsabbat),
> wagte es Joseph von Arimathäa, ein angesehener Ratsherr,
> und ging zu Pilatus hinein
> und bat um den Leib Jesu.
> Und er kaufte Leinwand, nahm ihn herab,

---

[2] Vgl. *Broer*, Urgemeinde 82.

[3] Entgegen der fast allgemeinen Auffassung halte ich 15,39 und 15,44f nicht für sekundär und schon gar nicht für markinisch (s. u.).

> umwickelte ihn mit der Leinwand
> und legte ihn in ein Grab,
> das aus einem Felsen herausgehauen war.

Alle übrigen Elemente des jetzigen Textes hält er für sekundär und zumeist redaktionell.[4] Seine Analyse kann aber nicht überzeugen. Im folgenden sei sie einer kritischen Prüfung unterzogen.

(1) Im Ganzen zuzustimmen ist Broer bei seiner Analyse von V. 42. Dessen überfüllte Einleitung hat schon immer Verständnisschwierigkeiten bereitet. Vor allem war nur schwer zu klären, was das ἐπεὶ ἦν παρασκευή (weil es Rüsttag war) nach ἤδη ὀψίας γενομένης (als es schon spät geworden war) eigentlich begründen soll.[5] Darum wurde dieses Element von V. 42 vielfach für sekundär angesehen. Mit Recht wendet sich Broer dagegen. In der Tat wird die im ἐπεὶ-Satz liegende Begründung deutlicher, wenn man das »als es schon spät geworden war« als sekundär ansehen darf (vgl. 14,17).[6] Dann ist V. 42 keine *Zeitangabe* mehr, sondern nennt präzise den *Grund*, warum Joseph von Arimathäa Jesus bestattet: wegen des auf den Rüsttag folgenden Festtags. Nun kann V. 42 auch zeitlich unmittelbar an 15,37.39 anschließen, und die Schwierigkeit entfällt, daß zwischen Jesu Tod (»in der neunten Stunde«) und dem Unternehmen des Joseph von Arimathäa ein größerer Zeitabstand liegt. Ob »als es schon spät geworden war« auf den Evangelisten zurückgeht, kann offenbleiben. Dafür spricht noch nicht, daß Mk auch sonst diese Zeitangabe gebraucht (vgl. 14,17)[7] oder andere einfügt (vgl. 15,1). Da V. 42a wohl die Stundenangaben von V. 25.33.34a fortsetzt und abschließt, stammt »als es schon spät geworden war« aber wahrscheinlich von der gleichen Hand wie diese (s. u.).

Neben der Tageszeitangabe ist auch die erklärende Notiz »das ist Vorsabbat« sekundär. Diese wird wohl auf den Evangelisten zurückgehen. Einerseits bietet Mk eine ähnliche Erläuterung auch 15,16, andererseits aber wird erst hier »beiläufig und hinterdrein«[8] der Freitag als Todestag Jesu genannt. Eine Notwendigkeit für

---

[4] *Broer*, Urgemeinde 139-173.
[5] So schon *Wellhausen* 133f; *Wendling*, Entstehung 174.
[6] *Broer*, Urgemeinde 139ff.
[7] Vgl. *Schenke*, Studien 199f.
[8] *Wellhausen* 133.

diese Identifizierung war dann gegeben, als die Passionstradition mit dem Stück 16,1-8, das fest mit dem »ersten Tag der Woche« verbunden war, verknüpft wurde, also wohl auf der Ebene der markinischen Redaktion. Ursprünglich muß παρασκευή nicht den »Vorsabbat«, sondern kann auch den Rüsttag des Passafestes meinen, also überhaupt *jeden* anderen Wochentag. Die Grablegungserzählung wird also ursprünglich mit »und weil Rüsttag war« eingeleitet worden sein. Die Tageszeitangabe und die Erklärung des Ausdrucks παρασκευή sind sekundär, letztere wahrscheinlich markinisch.

Mit der Redaktion in V. 42 dürfte das ἐλθών (kommend) von V. 43 zusammenhängen. Dieses Partizip, das sich mit dem späteren εἰσῆλθεν (er ging hinein) stößt, ist in der redaktionell erweiterten Fassung von V. 42 eher gefordert als ursprünglich und könnte daher im Rahmen einer sekundären Überarbeitung des Stückes hinzugefügt worden sein.[9] Notwendig ist das allerdings nicht.

(2) Broer hält die Kennzeichnung des Joseph von Arimathäa als »der selbst auch die Herrschaft Gottes erwartete« (V. 43) für redaktionell. Sie entspreche in der Tendenz ganz dem redaktionellen V. 40f und wolle Joseph an die Seite Jesu rücken.[10] Das ist möglich, aber nicht zwingend. Auch die vormarkinische Passionsgeschichte, in der die Bestattung Jesu gewiß als positiver Akt bewertet wurde, mußte nach 14,53a.55-65 verdeutlichen, warum *dieser* Ratsherr sich von den anderen unterschied. Freilich hat Broer Recht, wenn er darauf hinweist, daß der eigentliche Grund für die Bestattung nicht in Josephs Charakter, sondern darin liegt, daß Rüsttag ist (V. 42). Doch will die Kennzeichnung des Joseph auch weniger das *Motiv für die Bestattung* angeben als den Grund, warum es gerade Joseph von Arimathäa ist, der sich zu diesem kühnen (τολμήσας) Unternehmen bereit findet.

(3) Seit Bultmann[11] sind V. 44f immer wieder für sekundär gehalten worden, weil sie bei Mt/Lk fehlen und das apologetische Interesse zeigen, die *Tatsache* des Todes Jesu festzustellen. Mit Recht lehnt Broer den ersten Grund als völlig unzureichend ab. Das Fehlen die-

---

[9] So *Broer*, Urgemeinde 158.
[10] *Broer*, Urgemeinde 158ff.
[11] GST 296.

ser Verse bei Mt/Lk ist aus den redaktionellen Absichten dieser Evangelisten zu erklären.[12] Der zweite Grund ist aber ebenfalls abzuweisen: ein apologetisches Interesse kann durchaus auch der ursprünglichen Fassung der Erzählung eigen gewesen sein. Da das »als es schon spät geworden war« in V. 42 sekundär ist, entfällt auch die von Wendling für V. 44f empfundene Schwierigkeit, daß Pilatus erst so spät vom Tod Jesu erfährt.[13] Auch dagegen wendet sich Broer mit Recht. Ebenso glaubt er auch nicht, schon aus dem Wechsel zwischen σῶμα/πτῶμα (Leib/Leiche) in V. 43/45 auf eine sekundäre Bearbeitung schließen zu können.[14] Gleichwohl rechnet Broer in V. 44f mit markinischer Redaktion. Er führt folgende Gründe an:

— In V. 46 findet sich ein »außerordentlich harter« Subjektwechsel zu V. 45;

— V. 46 kann direkt an V. 43 anschließen;

— die Erwähnung des Hauptmanns in 15,39 ist ebenfalls redaktionell;

— Mk will den Tod Jesu als wunderhaft darstellen.

Keiner dieser Gründe kann überzeugen.

— Da V. 45 mit »dem Joseph« schließt, ist der Subjektwechsel in V. 46 keineswegs so hart, wie Broer ihn hinstellt.

— Der Anschluß von V. 46 an V. 43 ist mitnichten glatt. Es müßte doch zumindest erzählt werden, daß Pilatus den Leichnam Jesu freigibt (V. 45b).

— Daß V. 39 sekundär ist, trifft gerade nicht zu (s. u.). Damit entfällt ein wichtiger Grund, V. 44f gleichfalls als sekundär anzusehen.

— Ganz unbefriedigend ist Broers Argumentation, die er von Schreiber bezieht und mit der er seinen letzten Grund stützen will. Daß erst der Evangelist die Stundenangaben 15,25.33.34a geschaffen habe, um damit die wunderhafte Schnelligkeit des Todeseintritts Jesu darzustellen, ist doch ganz unwahrscheinlich. Fraglich ist auch, ob die Stundenangaben überhaupt Jesu *schnellen* Tod andeuten sollen. Wäre das dennoch der Fall, dann müßte diese Tendenz aber bereits für die vormarkinische Passionsgeschichte angenommen wer-

---

[12] *Broer*, Urgemeinde 56f.165f.
[13] *Wendling*, Entstehung 175.
[14] *Broer*, Urgemeinde 161ff.

den. Dann müßte V. 44f, in dem es in der Tat um das »schon« des Todes Jesu geht (ἤδη; πάλαι), gerade von dieser Tendenz her als ursprünglich bewertet werden.

Es besteht also kein Grund, V. 44f für sekundär und redaktionell anzusehen. Die beiden Verse greifen vielmehr inhaltlich nicht nur auf 15,39, sondern ebenso auf 15,15.20b.34.37 zurück und bieten dem Erzähler Gelegenheit, den in jeder Hinsicht ungewöhnlichen Tod des Messias Jesus amtlich bestätigen zu lassen.

(4) Broer rechnet auch für V. 46c mit redaktioneller Herkunft: Mk habe das »und er wälzte einen Stein vor den Eingang des Grabes« eingefügt, um damit 16,3 vorzubereiten. Das einzige Kriterium für diese Vermutung ist die wörtliche Parallele von V. 46c zu 16,3.[15] Dagegen ist einzuwenden, daß 16,3 eine deutliche literarische Spannung zu 16,1-8 enthält,[16] V. 46c dagegen sich völlig glatt in die Erzählung 15,42-47 einfügt. Wo wie hier in breiter Ausführlichkeit und Anschaulichkeit erzählt wird, wie Joseph von Arimathäa »Leinwand kauft«, den Leichnam Jesu »einwickelt«, in ein »aus dem Felsen gehauenes« Grab legt, da erscheint V. 46c keineswegs als überflüssige, den Rahmen des Berichts sprengende Bemerkung, sondern als sein ganz natürlicher, anschaulicher Abschluß. Es ist daher reine Willkür, V. 46c für redaktionell zu erklären.

(5) Auch V. 47 hält Broer für sekundär, wenngleich vormarkinisch. Als Grund dafür gibt er an, »daß diese Mitteilung bei Mk nicht organisch in den Erzählzusammenhang integriert ist«[17]. Man fragt sich aber, wo Broer selber diesen Vers »organisch integriert« plaziert hätte, ohne mehr aussagen zu müssen, als der Erzähler aussagen wollte. Die Frauen figurieren ja lediglich als Zeuginnen dafür, »wohin er gelegt wurde«, nicht aber etwa als Helfer oder anders an der Bestattung Beteiligte; damit ist doch wohl gar kein organischerer Platz als der jetzige für V. 47 denkbar. Auch hier vermag ich also Broers Auffassung nicht zu teilen, zumal V. 47 die kürzeste und damit wohl älteste der drei Frauenlisten 15,40f; 15,47 und 16,1 enthält. Wann die sekundäre Anfügung von V. 47 erfolgt sein soll und welchen Zweck sie hatte, darüber gibt Broer auch keine Aus-

---

[15] *Broer*, Urgemeinde 170.
[16] Vgl. *Schenke*, SBS 33, 37ff.
[17] *Broer*, Urgemeinde 113.

kunft. Auch V. 47 gehört also wohl zum ursprünglichen Grable-
gungsbericht; er nennt Zeuginnen, die gesehen haben, »wohin er
gelegt wurde«, das heißt, die der Gemeinde Garanten für die Kenntnis der Lage des Grabes Jesu sein konnten.

Wir kommen also zu dem *Ergebnis*, daß 15,42-47 fast in seiner jetzigen Textgestalt den ursprünglichen Abschluß der vormarkinischen
Passionsgeschichte gebildet hat. Lediglich V. 42 ist sekundär überarbeitet. Weitere Eingriffe in den Text sind nicht wahrscheinlich
zu machen. Schon gar nicht ist aus 15,42-47 ein Urbericht heraus-
zulösen, der als »Geschichtsbericht« einzuordnen wäre.[18] Tendenz
und theologische Aussage des Stückes sind vielmehr nur aus dem
Gesamt aller seiner Motive und Züge und aus seinem Verhältnis
zur Passionsgeschichte insgesamt, deren Abschluß es bildet, zu erheben.

2. Der Kreuzigungsbericht 15,20b-41 *

Der Bericht über die Kreuzigung Jesu 15,20b-41 ist von zahlreichen
literarischen Spannungen und Doppelungen gekennzeichnet. Schon
längst ist daher die Einheitlichkeit des Berichtes in Frage gestellt
worden, zumeist jedoch methodisch fragwürdig unter historischen
Gesichtspunkten, indem man versuchte, einen historischen Kernbe-
richt zu isolieren, der nachträglich durch andere Motive und Züge
aufgefüllt worden sei. Linnemann hat diese methodisch unzuläng-
lichen Versuche kurz kritisch besprochen (S. 136f). Wir wenden uns
ihnen hier nicht mehr zu, sondern stellen zunächst die Spannungen
des Textes zusammen und besprechen die beiden neueren Lösungsversuche von Schreiber und Linnemann, um dann selbst einen Vor-
schlag zur Lösung der Probleme des Textes zu machen.

a) Spannungen

(1) V. 22 schließt mit καὶ φέρουσιν αὐτόν (und sie bringen ihn) direkt an V. 20b an. Dagegen ist der Bezug des αὐτόν (ihn) auf Jesus
nach V. 21 nicht eindeutig; grammatisch könnte es sich auch auf
Simon beziehen.

---

[18] *Bultmann*, GST 296; *Broer*, Urgemeinde 188.
* Lit.: *Linnemann*, Studien 136-170; *Schreiber*, Theologie 22-82.

(2) V. 21 ist offensichtlich von einem bestimmten Interesse geleitet. Dieses ist nicht christologischer Art, wie bei den weiteren Einzelheiten der Erzählung, etwa daß der geschwächte Jesus sein Kreuz nicht selbst tragen konnte. Das Interesse besteht vielmehr offenbar gerade darin, daß es der hellenistische Jude »Simon von Cyrene« war, der das Kreuz Jesu trug und dessen beiden Söhne in hellenistischen Kreisen der Urgemeinde wohl eine bestimmte Rolle spielten.

(3) Über den Verbleib des Simon wird im weiteren Verlauf des Berichtes nichts gesagt. Ob er auch als bei der Kreuzigung Jesu anwesend gedacht wird, ist nicht sicher auszumachen.

(4) Ein Zeugnis für eine sekundäre Überarbeitung von 15,20b-41 begegnet V. 22b (vgl. V. 34b). Die Übersetzung des Ortsnamens »Golgotha« erfolgte wohl, als der Passionsbericht ins Griechische übertragen wurde.

(5) In V. 24a und V. 25b wird doppelt der Vorgang der Kreuzigung erzählt. V. 25b macht aber einen sekundären Eindruck. Hier wird offenbar die Kreuzigung deshalb nochmals erwähnt, *um* die Zeitangabe V. 25a näher zu bestimmen. Damit erweist sich wohl auch die Zeitangabe V. 25a selbst als sekundär. Wäre sie ursprünglich, müßte sie direkter mit V. 24a verbunden gewesen sein.

(6) In V. 29-32 wird *dreimal* von einer Verspottung des Gekreuzigten gesprochen: durch irgendwelche »Vorübergehenden«; durch die Hohenpriester und Schriftgelehrten; durch die Mitgekreuzigten. Auffällig ist, daß zuerst offenbar *zufällig* Vorbeikommende gemeint sind, die Hohenpriester und Schriftgelehrten aber eigens zur Verspottung Jesu aus der Stadt herausgekommen sein müssen. Dieser Zug fällt aus dem Rahmen und wirkt künstlich. Schon von daher ist in V. 29-32 mit sekundärer Erweiterung zu rechnen.

(7) Die Einführung der Schriftgelehrten in V. 31a mit μετά (m. Gen.) wirkt nachgetragen.

(8) Die beiden wörtlich angeführten Spottreden V. 29b.30 und V. 31b.32a sind formal und inhaltlich einander so ähnlich, als hätten die Spottenden sich gegenseitig zugehört (vgl. das ὁμοίως = ebenso V. 31). Beide enthalten eine auf Jesu Tun und Reden zurückverweisende Feststellung (V. 29b; V. 31b) und eine auf die aktuelle Kreuzessituation Jesu bezogene Aufforderung (V. 30; V. 32a). Diese Aufforderung ist in beiden Fällen fast gleich formu-

liert (V. 30: σῶσον σεαυτὸν καταβὰς ἀπὸ τοῦ σταυροῦ = rette dich selbst vom Kreuze herabsteigend; V. 32b: . . . καταβάτω νῦν ἀπὸ τοῦ σταυροῦ = steige nun vom Kreuz herab). Hier liegt es nahe, eine gegenseitige Beeinflussung der Spottworte anzunehmen, zumal das σῶσον σεαυτὸν (rette dich selbst) von V. 30 auch in V. 31b anklingt (ἑαυτὸν οὐ δύναται σῶσαι = sich selbst kann er nicht retten). Nun wird man aber zugleich sehen müssen, daß V. 30 *nach* V. 29b unorganisch wirkt, V. 32a aber gut an V. 31b anschließt. Damit liegt es näher, V. 31bf als ursprünglich anzusehen, V. 29bf aber als sekundäre Komposition. Das wird auch dadurch bestätigt, daß beide Spottworte sich jeweils auf den vorangegangenen Kontext beziehen: V. 29b läßt 14,58b anklingen, in V. 32 aber wird auf die Verurteilung Jesu als *Messias* (14,61ff) und *König der Juden* (15,2.26) angespielt. Da aber 14,58 sekundärer Einschub ist (s. o.), ist auch die erste Spottrede als sekundär verdächtig; V. 32a aber steht in Korrespondenz mit 14,61f; 15,2.26, die als ursprünglich zu gelten haben.

(9) Eine erzählerische Spannung besteht auch darin, daß die zufällig »Vorübergehenden« (V. 29a) von dem 14,55-65 Jesus vorgeworfenen Tempelwort wissen.

(10) V. 33 bringt nach V. 25 eine erneute Stundenangabe. Ist aber V. 25 sekundär, dann auch V. 33. In V. 33 wird deutlich, daß der Erzähler die ganze Kreuzigungsszene in Abschnitte von je drei Stunden einteilen will. Das Stundenschema aber wirkt künstlich und dem Bericht aufgepreßt.

(11) Mit V. 33 wird die bisherige Geschlossenheit der Erzählung hinsichtlich von Ort und Zeit verlassen. Das geschieht einmal durch den Hinweis auf die Finsternis im »ganzen Land« und zum andern dadurch, daß V. 33 eine Zeiteinheit von drei Stunden einführt, in der offenbar *nichts* geschieht.

(12) Auffällig ist auch, daß von keinerlei Reaktion auf die Finsternis berichtet wird, weder der Anwesenden bei der Kreuzigung noch der Bewohner des »ganzen Landes«. Auch V. 39 kann schwerlich auf V. 33 zurückblicken. Beide Verse stehen zu weit auseinander, als daß V. 39 organisch auf V. 33 bezogen sein könte.

(13) In V. 34a und V. 37 wird zweimal von einem »lauten Schrei« Jesu gesprochen. In V. 34a wird dieser mit einer erneuten Stunden-

angabe verbunden und im Wortlaut mitgeteilt; in V. 37 ist der Schrei Zeichen des Sterbens Jesu. Wie ist diese Doppelung des Textes aufzulösen? Ist V. 34a eine sekundäre Ausgestaltung von V. 37? Wird überhaupt von einem nochmaligem Schrei Jesu gesprochen oder meinen beide Verse denselben Schrei?

(14) V. 34b muß ebenso wie V. 22b sekundär sein und wurde eingefügt, als die Erzählung aus dem Aramäischen (vgl. V. 34a) ins Griechische übersetzt wurde. Dann spricht aber alles für die Ursprünglichkeit von V. 34a.

(15) Wer die »Dabeistehenden« in V. 35 sind, wird nicht deutlich. Sind es römische Soldaten des Exekutionskommandos oder die in V. 31a genannten Hohenpriester und Schriftgelehrten? In beider Munde ist das grobe Mißverständnis des Rufes Jesu schwerlich möglich; was wissen römische Soldaten vom jüdischen Nothelfer Elias? Die Hohenpriester und Schriftgelehrten aber können das aramäische ἐλωΐ (mein Gott) nicht so grob mißverstehen. Überhaupt wird ein Anklang von ἐλωΐ an Elias eher für einen Leser als für einen Hörer erkennbar. V. 35 muß daher als sekundärer Einschub beurteilt werden; mit ihm zusammen dann zumindest auch V. 36b.

(16) V. 38 durchbricht wieder wie V. 33 die innere Geschlossenheit der Schilderung, indem er dem Leser von Golgotha aus einen Blick in den Tempel zu tun erlaubt. Erst in V. 39 wird die Kreuzigungsszene fortgesetzt. V. 39 kann auch nicht als Reaktion auf V. 38 verstanden werden, sondern bezieht sich direkt auf V. 37 (ἐξέπνευσεν = aushauchen). V. 38 bleibt also im jetzigen Zusammenhang ohne Reaktion.

(17) V. 38 deutet wie 14,58; 15,29b ein mit Jesus zusammenhängendes Geschehen am Tempel an. Ist 14,58; 15,29b sekundär, dann wohl auch V. 38. Er verhält sich zu 14,58; 15,29b wie die Erfüllung zur Verheißung.

(18) Die Einführung der in V. 40f erwähnten Frauen ist sehr unanschaulich; was diese Frauen im einzelnen sehen, wird nicht gesagt. Sie stehen überhaupt in Spannung zu den V. 47 genannten *zwei* Frauen, sowohl bezüglich ihrer Zahl als auch ihrer Namen. Warum außer den beiden Marien alle anderen Frauen nicht mehr bei der Grablegung dabei sind, ist nicht gesagt. Warum die zweite Maria

in V. 40 als »*Mutter* des Jakobus des Kleinen *und* des Joses« gekennzeichnet wird, V. 47 aber nur »Maria, die des Joses« heißt,
wird nur erklärbar, wenn man sieht, daß V. 40 offenbar die Frauen
von 15,47 und 16,1 miteinander identifizieren will. Damit erweist
sich V. 40 als sekundär.

(19) Der Rückblick auf Jesu Wirken in Galiläa und auf seinen Weg
nach Jerusalem, an dem die Frauen teilgenommen haben (V. 41),
durchbricht die innere Geschlossenheit der Kreuzigungsgeschichte
und des Passionsberichtes überhaupt. Der Vers läßt das gesamte
Evangelium des Mk in den Blick kommen und macht daher einen
sekundären, markinischen Eindruck.

b) Neuere Lösungsversuche

Die Untersuchung des Abschnitts von *Schreiber* (s. o.) greift zurück
auf seine Bonner Dissertation von 1959. Schreiber geht aus von der
im Rahmen seiner Untersuchung nicht bewiesenen Prämisse Bultmanns, daß die Passionsgeschichte »wesentlich aus Einzelstücken«
besteht (S. 22), und von der Behauptung, daß die »wie eine Klam-
mer des Textes« wirkenden Stundenangaben 15,25.33f »grundle-
gende Bedeutung für den rechten Ansatz der Analyse« haben (S. 23).
Mit beiden Behauptungen hat er sein Ergebnis praktisch schon vor-
weggenommen. Doch beide sind zu bestreiten.

In der literarkritischen Analyse weist Schreiber dann zunächst
Dubletten in V. 24.25, V. 29f.31f und V. 34.37 nach und erklärt
V. 34b-36 und V. 39-41 für markinisch (S. 24ff). In der folgenden
»stilkritischen« Untersuchung meint er, in 15,20b-41 einen »kurzen
erbaulichen Stil« von »lebendig-anschaulicher Schilderung« unterscheiden und so die Elemente des vorliegenden Textes aufteilen zu
können. Dabei erweisen sich ihm V. 29b-32b als redaktionelle Ver-
anschaulichung und V. 22b.23 als markinische Glossen (S. 27f). Da
sich in V. 20b-22.24.27 sechsmal ein Präsens historikum, in den anderen Versen dagegen keine Präsensform findet, sieht sich Schreiber
zu weiteren literarkritischen Rückschlüssen berechtigt. Er folgert:
Mk hat »in 15,20b-41 eine im Praesens historicum gehaltene Kreuzigungstradition (15,20b-22a.24.27) mit einer zweiten (15,25.26.
29a.32c.34a.37.38) durch die Einschiebung von V. 25f zwischen
V. 24 und V. 27 verzahnt . . ., um dann beide Traditionen gemäß

dem Gesamtaufriß seiner Theologie durch Zusätze (15,22b.23.29b-32b.34b-36.39-41) zu kommentieren« (S. 28). Diese Folgerung sucht Schreiber noch durch Vokabelstatistik zu untermauern.

Schreiber hat so *zwei* Kreuzigungsberichte gewonnen, die er im folgenden traditionsgeschichtlich untersucht. Der *erste Kreuzigungsbericht* ist ein *alter Geschichtsbericht,* der aus persönlichen (V. 21) und theologisch-apologetischen Gründen (V. 24.27 = Ps 22,19; Jes 53,12) tradiert wurde (S. 32). Er geht auf Simon von Cyrene zurück und ist in Kreisen hellenistischer Judenchristen in Jerusalem überliefert worden. »Die hellenistische Urgemeinde erzählte voll Stolz, daß sie mit dem von Gott Verfluchten noch kurz vor seinem Tode dank der Hilfeleistung des Simon zu tun hatte, und behauptete in diesem Zusammenhang entgegen aller jüdischen Glaubensanschauung, in Jesu Kreuzestod habe sich Gottes heilsamer Wille vollzogen« (S. 62ff).

Die *zweite Kreuzigungstradition* »verkündet den Tod Jesu mit Hilfe alttestamentlicher, jüdisch-apokalyptischer Vorstellungen« (S. 33f) als *Gericht Gottes* über den Tempel und das Judentum (S. 38f.67f). Formal ist der Bericht eine *hellenistische Epiphaniegeschichte.* »Hier spricht womöglich aus dem Exil und im Gegensatz zum Judentum und zur palästinensischen Gruppe die hellenistische Gruppe der Urgemeinde« (S. 66), die im scharfen Gegensatz und Protest gegen das offizielle Judentum stand. Die Nähe zur Gnosis sei unverkennbar (S. 80f).

Schreibers mit aufreizender Sicherheit vorgetragene, methodisch fragwürdige und in keiner Hinsicht überzeugende Analyse ist von Linnemann (s. o.) einer völlig berechtigten vernichtenden Kritik unterzogen worden (S. 139-146.163-168), die hier nicht im einzelnen wiederholt zu werden braucht. Schon Schreibers Prämissen sind zu bestreiten, noch mehr aber seine Kriterien für eine Unterscheidung *zweier* Kreuzigungsberichte in 15,20b-41 abzulehnen, da sie nicht aus dem Text selbst gewonnen sind, sondern postuliert werden.

Auch *Linnemanns* eigene Untersuchung des Abschnitts ist von einem Postulat bestimmt, das sie in den vorausgehenden Analysen zur Genüge nachgewiesen zu haben meint und darum am Kreuzigungsbericht nicht noch einmal prüft: die Passionsgeschichte besteht ursprünglich aus Einzelstücken. Von unserer bisherigen Untersuchung her ist dieses Postulat jedoch zumindest für 14,53 - 15,20a zu bestreiten. Linnemann geht bei ihrer Studie zum Kreuzigungsbericht von den zahlreichen Spannungen und Brüchen im Text aus und sucht hinter ihnen einen ursprünglichen Zusammenhang. Diesen findet sie in den *Stundenangaben* des Kreuzigungsberichtes gegeben. »Alle übrigen Bestandteile der Perikope, die nicht in unmittelbarem Zusammenhang mit den Versen stehen, welche die Stundenangaben enthalten, haben untereinander keine andere Verbindung als den gemeinsamen Bezug auf das Kreuzigungsgeschehen. Man kann sie aus der Erzählung herauslösen, ohne daß deren Ablauf gestört würde« (S. 146). Von dieser fragwürdigen Überlegung her bestimmt Linnemann dann die Verse 15,20b-21.23.24b.26.27.29-32.34b.35. 36.39.40-41 als ursprünglich isolierte Einzelzüge, die entweder einmal völlig selbständig überliefert wurden (V. 20b-21; evtl. V. 40-41) oder sekundär aus der Schrift erschlossen wurden (V. 24b. 27.29a.30a.31b.34b), oder einen theologischen Gedanken einführen sollen (V. 23), oder aber vom Evangelisten stammen (V. 26.29b. 30b.32.39) (S. 146ff).

»Am Anfang der Traditionsgeschichte kann schwerlich ein Einzelzug oder eine Anhäufung isolierter Einzelzüge gestanden haben. Es ist mit einem Traditionskern zu rechnen, der die verschiedenen Einzelzüge an sich zog . . . Es macht keine Schwierigkeiten, jene Einzelzüge der Kreuzigungsperikope, die aus der Schrift erschlossen wurden oder der theologischen Reflektion entstammen, als späte Auffüllung einer detailarmen Urfassung anzusehen. Das Stundenschema als spätere Hinzufügung verständlich zu machen, dürfte weitaus schwieriger sein« (S. 154). »Dagegen kann man sehr wohl verstehen, daß ein Erzähler, dem die Einzelzüge, die wir in der Kreuzigungsperikope lesen, noch nicht zur Hand waren, das Nichtwissen vom Leiden des Herrn mit dem Stundenschema überspielte (sic!) und so die Kreuzigung Jesu erzählbar machte« (S. 157).
Diesen Überlegungen entsprechend rekonstruiert Linnemann dann folgenden Urbericht: 15,22a.24a.25a.33.34a.37.38. Dieser ist allmählich durch eine Reihe von Einzelmotiven aus schriftgelehrter Reflexion aufgefüllt und schließlich auch von Mk redaktionell erweitert worden (S. 157.168ff). Tragende Motive des Urberichts sind

V. 38 und V. 33. In kritischer Auseinandersetzung mit Schreibers Motivkombinatorik (S. 163ff) kommt Linnemann schließlich zu dem Ergebnis: Der ursprüngliche Kreuzigungsbericht ist nicht als Darstellung des *Gerichts* zu verstehen, sondern will aussagen, »daß im Augenblick des Kreuzestodes . . . die Majestät Gottes unverhüllt in Erscheinung tritt« (S. 163.168).

Auch Linnemanns Analyse kann nicht überzeugen. Wir wollen hier aber auf ihre Argumentation im einzelnen nicht eingehen, was zu weit führen würde. Vielmehr stellen wir ihrer Analyse unsere eigene entgegen. Aber schon Linnemanns Prämisse einer ursprünglich aus isolierten Einzeltraditionen bestehenden Passionsgeschichte ist unzutreffend. Wenn sie ausgehend von dieser Prämisse nach einer *zusammenhängenden Einzeltradition* in 15,20b-41 fragt, so ist dies schon im Ansatz fragwürdig. Auch wird nirgendwo einsichtig, nach welchen Kriterien sie das Stundenschema als guten, den »gemeinsamen Bezug auf das Kreuzesgeschehen« aber als literarisch schlechten Zusammenhang ansieht. Daß die Stundenangaben primär sein müssen, wird lediglich behauptet, aber nicht literarkritisch erwiesen. Der Text selbst legt ganz andere Schlüsse nahe. Linnemann handhabt denn auch ihr eigenes Prinzip, nach dem die mit den Stundenangaben verbundenen Erzählzüge ursprünglich seien, völlig inkonsequent, wenn sie nicht V. 25b, der ja mit V. 25a direkt verbunden ist, sondern V. 24a für ursprünglich hält und V. 37 vor V. 34 den Vorzug gibt, obwohl die Stundenangabe in V. 34a steht. Wenn sie außerdem den Versen 33 und 38, die im jetzigen Text deutlich die Geschlossenheit des Erzählzusammenhangs zerreißen (s. o.), Ursprünglichkeit zuspricht, dann ist der literarische Befund des Textes einfach auf den Kopf gestellt. Man kann sich darum des Eindrucks nicht erwehren, daß Linnemann trotz vieler guter Beobachtungen den Text voreingenommen und schematisch analysiert. Nicht der Text selbst in seiner jetzigen Gestalt, sondern offenbar die *Vorstellung* Linnemanns vom Text in seiner ursprünglichen einfachen Form bestimmt die Analyse. Auf diese Vorstellung hin wird der jetzige Text dann zurechtgebogen.

c) Die Analyse

Schon durch V. 22b und V. 34b werden wir darauf aufmerksam,

daß in 15,20b-41 ein *sekundär überarbeiteter* Bericht vorliegt. Diese beiden Anmerkungen, die den Ortsnamen *Golgotha* und das aramäische Gebetswort Jesu ins Griechische übersetzen, sind wohl schon vormarkinisch in den Text eingefügt worden, als dieser ins Griechische übertragen wurde. Dadurch werden zugleich V. 22a und V. 34a als alte Bestandteile des Textes wahrscheinlich gemacht.

Im folgenden muß nun unter diesem Vorzeichen gefragt werden, welche literarkritischen Schlüsse sich aus den oben festgestellten Spannungen des Textes ergeben, ob und in welchem Umfang sich eine sekundäre Bearbeitung des Kreuzigungsberichtes erweisen läßt und welchen traditionsgeschichtlichen Ort diese jeweils hat.

(1) Die oben aufgewiesenen Spannungen zwischen V. 21 und seinem Kontext machen den Vers als sekundären Einschub wahrscheinlich.[1] Das bedeutet aber nicht, daß V. 21 ursprünglich selbständig überliefert worden ist, zumal V. 20b direkt an 15,1-20a anschließt und ohne Zweifel zum ursprünglichen Bericht und nicht zu V. 21 gehört hat,[2] oder daß der Vers deshalb auf Mk zurückgehen müßte. Wir haben es vielmehr mit einer sehr alten Notiz zu tun, die durchaus historischer Erinnerung entstammen kann, gleichwohl aber erst sekundär in den Kreuzigungsbericht eingefügt worden ist. Das Interesse dieser Einfügung ist nicht leicht zu bestimmen. Es dürfte nicht einfach darin liegen, Augenzeugen für die Kreuzigung zu benennen (vgl. 15,42.47),[3] da Simons Anwesenheit bei der Kreuzigung gerade nicht ausgesagt wird. Beachtet man vielmehr, daß neben Simon auch seine Söhne Alexander und Rufus genannt werden, die ja bei der Tat ihres Vaters gar nicht anwesend waren, wohl aber bekannte Persönlichkeiten der Gemeinde sind, und daß alle drei durch ihre Beinamen bzw. Namen als hellenistische Diasporajuden gekennzeichnet werden, dann dürfte sich als wahrscheinlich ergeben, daß in V. 21 ein Einschub der hellenistischen Urgemeinde in Jerusalem vorliegt. Diese hat, wie wir schon für 14,57-59; 14,62b; 15,6-15a nachgewiesen haben, die ursprüngliche Passionsgeschichte redaktionell überarbeitet. In 15,21 dürfte nun deutlich werden, mit welcher Kompetenz sie dies tut: auch sie hat einen Gewährsmann, der an-

---

[1] *Best,* Temptation 97; *Schnackenburg* II 299.
[2] Gegen *Linnemann,* Studien 146.
[3] *Dibelius,* FG 183; *Klostermann* 163; *Schulz,* Stunde 136.

wesend war, als Jesus nach Golgotha verbracht wurde, ja der dem Herrn auf seinem Kreuzweg einen Liebesdienst erwiesen hat. Nachösterlich erscheint diese Tat des Simon als echter Jüngerdienst und wahre Nachfolge. Ein kritischer Unterton gegen die Jünger, von denen eine Anwesenheit beim Kreuzgang Jesu nicht berichtet werden konnte, mag in V. 21 mitschwingen; darin wird dann zugleich auch Kritik und möglicherweise Polemik gegen die judenchristlichen »Hebräer« anklingen, von denen sich die Hellenisten wohl immer stärker absetzten.[4]

(2) Durch die sicher sekundäre Dublette V. 25b (καὶ ἐσταύρωσαν αὐτόν = »als sie ihn kreuzigten«) zu V. 24a (καὶ σταυροῦσιν αὐτόν = »und sie kreuzigen ihn«) wird auch die Stundenangabe V. 25a als sekundär verdächtig, da sie direkt mit V. 25b verbunden ist und nicht mit V. 24a.[5] Der gesamte V. 25 macht überhaupt auch formal (ἦν δέ) einen nachtragenden, sekundären Eindruck.[6] Er soll offenbar *nachträglich* die Stunde der längst berichteten Kreuzigung angeben. Darum ist das καί in V. 25b mit »als« wiederzugeben.[7] Wie es zu dem Einschub V. 25 kam, kann nur im Zusammenhang mit den weiteren Stundenangaben V. 33.34 geklärt werden.

(3) Die oben aufgewiesenen Spannungen in V. 29-32 legen die Annahme sekundärer Erweiterung einer ursprünglichen Spottszene nahe. Schwierigkeiten bereitet aber, zwischen dem ursprünglichen Bestand dieser Szene und ihren sekundären Elementen zu unterscheiden. Als sicher ursprünglich darf wohl V. 29a gelten. Nicht nur wird hier von zufällig Vorübergehenden gesprochen, die Jesus lästern, sondern in κινοῦντες τὰς κεφαλάς (die Häupter schüttelnd) klingt auch ψ 21,8 an (ἐκίνησαν κεφαλήν), der im übrigen Kreuzigungsbericht eine bedeutende Rolle spielt (V. 24 = ψ 21,19; V. 34 = Ps 22,2).

---

[4] *Schreiber*, Theologie 62ff, sieht also durchaus etwas Richtiges, wenn er seinen *ersten* Kreuzigungsbericht wegen V. 21 den hellenistischen Kreisen der Urgemeinde um Stephanus zuweist.

[5] Gegen *Linnemann*, Studien 157.

[6] Vgl. *Bultmann*, GST 294; *Schweizer* 198; *Best*, Temptation 97; *Schnakkenburg* II 302; *Schneider*, Passion 113.

[7] Bl.-Debr. § 442,4; *Schweizer* 198.

Dagegen ist V. 31a leicht als sekundär zu erweisen. Hier sind es die Hohenpriester *mit* (μετά) den Schriftgelehrten (vgl. 14,53b; 15,1), die als typische Gegner Jesu über den gekreuzigten und hilflosen »Messias« spotten.[8] Daß diese im Gegensatz zu den Vorübergehenden in V. 29a eigens zur Kreuzigung herausgekommen sein müssen, wirkt künstlich und macht den sekundären Charakter von V. 31a ebenfalls deutlich.[9] Daß V. 31a ganz auf Mk zurückgeht, ist dagegen unwahrscheinlich. Sicher ist die nachhinkende Erwähnung der Schriftgelehrten sein Werk (vgl. 15,1). Auch der Plural »die Hohenpriester« dürfte wie in 14,53b.55; 15,1.3.10f von ihm stammen. Ob V. 31a dann einmal im Singular formuliert war oder noch andere Spötter nannte, muß offenbleiben.

Als sicher sekundär muß V. 29b angesehen werden, der auf den gleichfalls sekundären Einschub 14,58b Bezug nimmt.[10] Allerdings ist das dort Jesus zugesprochene Wort hier deutlich verstümmelt und verändert und damit im Munde der Höhnenden tatsächlich ein »Falschzeugnis«, als welches es schon V. 14,57 gekennzeichnet wurde. Auch durch diese indirekte Aufnahme von V. 14,57 wird V. 29b als sekundär ausgewiesen. Dagegen wird V. 32a eher ursprünglich sein.[11] In diesem Spottwort werden 14,61bf und 15,2.26 aufgegriffen und die beiden dort als Anklage gegen Jesus verwendeten Titel »Christus« und »König der Juden« miteinander verbunden: »der Christus, der König Israels«, wobei »der Juden« als im Munde von Juden unpassend in »Israels« abgeändert worden ist. Für die Ursprünglichkeit von V. 32a spricht auch, daß die Aufforderung, vom Kreuz zu steigen, direkt mit der Anrede verknüpft ist; dagegen ist die Fortsetzung von V. 29b in V. 30 nicht völlig organisch.[12] Das Tempelwort läßt eine Aufforderung zur Selbstrettung keineswegs selbstverständlich erwarten. V. 30 dürfte daher zusammen mit V. 29b sekundär sein. Das wird dadurch bestätigt, daß V. 30 über-

---

[8] *Bultmann,* GST 295; *Klostermann* 165; *Schneider,* Passion 118.

[9] Das hat schon *Wellhausen* 189 gut empfunden.

[10] So auch *Gnilka,* Verhandlungen 19f; *Linnemann,* Studien 138; *anders Bultmann,* GST 295; *Klostermann* 165.

[11] Gegen *Bultmann,* GST 295; *Klostermann* 165; *Best,* Temptation 97; *Linnemann,* Studien 138.

[12] So richtig *Linnemann,* Studien 138.

haupt als Kompilation von V. 31b (Stichworte: ἑαυτόν; σώζειν) und V. 32a (καταβάτω . . . ἀπὸ τοῦ σταυροῦ) erklärt werden kann. V. 31b dürfte dann trotz der Schwierigkeit, daß hier auf das gesamte Wirken Jesu als »Messias« zurückgeblickt wird,[13] ursprünglich sein. Möglicherweise knüpft das Stichwort σώζειν an ψ 21,9 an. In diesem Vers ist dann die ganze Paradoxie eines *gekreuzigten Messias* auf eine kurze Formel gebracht. Was hier als Hohnwort formuliert ist, wird von der christlichen Gemeinde voll bejaht: gerade dieser ohnmächtige Gekreuzigte ist der *Messias Israels,* der allen »anderen« (V. 31b) Hilfe und Rettung ist.

Auch das »damit wir sehen und glauben« in V. 32a dürfte trotz des absolut gebrauchten πιστεύειν (glauben) ursprünglich sein. In V. 32a wird vom Gekreuzigten ein »Zeichen vom Himmel« (vgl. Mk 8,12 parr) als messianisches Beglaubigungszeichen gefordert, um an ihn als Messias glauben zu können. Dieses Zeichen wird »jetzt« (νῦν) nicht gewährt; der *Messias* muß der Gekreuzigte bleiben und den Tod erleiden. Das Messiasideal des Judentums wird auch hier von der christlichen Gemeinde, die V. 31b.32a formuliert, auf den Kopf gestellt.

Wir kommen damit zu dem *Ergebnis,* daß V. 31b.32a den Wortlaut der ursprünglichen Spottszene des Kreuzigungsberichtes enthält und vor der sekundären Einfügung von V. 29b.30.31a an V. 29a angeschlossen haben muß. Der den V. 27 wiederaufgreifende V. 32b wird dann die Spottszene ursprünglich abgeschlossen haben.

Der sekundäre Einschub V. 29b.30 dürfte vom gleichen redaktionellen Interesse getragen sein und von der gleichen Hand stammen wie 14,57-59 (s. o.). Wie in 15,31b.32 hinter dem Hohnwort das Bekenntnis der christlichen Gemeinde zum Paradoxon eines *gekreuzigten Messias* erkennbar wird, so auch in 15,29b.30 der Anspruch, daß dieser Gekreuzigte den Tempel auflösen und eine neue Heilsordnung herbeiführen wird. Im Munde der Höhnenden wird dieser Anspruch aber völlig verkehrt und mißverstanden. Nur die christliche Gemeinde weiß das Wort Jesu (14,58b) nachösterlich richtig zu deuten. Auch 15,29b.30 ist also auf hellenistische Kreise der Jeru-

---

[13] *Schneider,* Passion 118.

salemer Urgemeinde zurückzuführen, in denen gegen das orthodoxe Judentum und gegen den Tempelkult vom Christusereignis her polemisiert wurde.

(4) Die oben aufgewiesenen Spannungen legen es nahe, auch V. 33 als sekundären Einschub anzusehen. Dann dürfte dieser Zug weniger den in der Antike allgemeinen Topos, daß beim Tode großer Männer die Natur mittrauert und wunderbare Ereignisse die Bedeutung und Größe des Sterbens anzeigen,[14] in die Erzählung einführen wollen. Dagegen spricht schon, daß die hier berichtete Finsternis sich *vor* dem Sterben Jesu ereignet und ohne Reaktion bei den Zeugen bleibt.[15] Vielmehr ist zu untersuchen, ob sich auf dem Hintergrund der bisherigen Redaktion des Passionsberichtes eine spezielle Intention für den Einschub von V. 33 nachweisen läßt. Es ist naheliegend, hierfür an die alttestamentliche Vorstellung vom Gerichtstag Jahwes als Tag der Finsternis und Trauer zu denken (vgl. Am 5,18; Joel 2,2.10; 3,4 [LXX]; 4,15 [LXX]; Zef 1,15; Jes 13,10).[16] In ganz besonderer Weise aber scheint V. 33 in Beziehung zu Am 8,9 zu stehen: »An jenem Tage wird es geschehen, spricht Gott der Herr, da lasse ich die Sonne untergehen *am Mittag* und bringe *Finsternis über die Erde* (ἐπὶ τῆς γῆς) am hellichten Tage«.[17] Somit dürfte mit V. 33 angedeutet sein, daß sich im Kreuz Jesu das endzeitliche Gericht vollzieht. Bringt man V. 33 nun mit den sekundären Einschüben 14,57-59.62b; 15,29bf in Verbindung, dann wird klar, daß dieses Gericht das Judentum und den Tempel (vgl. V. 38) betrifft. Auch V. 33 wird daher auf die Redaktion des Passionsberichtes durch die hellenistische Urgemeinde zurückgehen und die 14,58.62b; 15,29bf angedeutete Polemik gegen das Juden-

---

[14] Vergil, Georg. I 463ff; Diog. Laert. IV 64; Plut., Pelep. 295A; vgl. Bill. I 1040f.1045f; *Fiebig*, Jüdische Wundergeschichten des neutestamentlichen Zeitalters, Tübingen 1911, 38ff.57ff; *Betz*, TU 76 (1961) 165; *Bieler*, Bild 44f; *Bultmann*, GST 305; *Lohmeyer* 345; *Klostermann* 166; ThWNT VII 439f.

[15] *Schreiber*, Theologie 39f.

[16] Vgl. ThWNT VII 431; *Strobel*, Kerygma 140; *Best*, Temptation 98ff; *Pesch*, Naherwartungen 160; *Schreiber*, Theologie 34.

[17] *Klostermann* 166; *Schulz*, Stunde 120; *Taylor* 651; *Schnackenburg* II 299.313; *Schneider*, Passion 125f.

tum um den Gerichtsgedanken bereichern. Dieses Gericht ist *im Kreuz Jesu* ergangen.

Ist V. 33 sekundär und von Am 8,9 abhängig, dann lassen sich auch die Stundenangaben in V. 25.33 erklären. Am 8,9 spricht ausdrücklich von einer Finsternis »am Mittag . . . am hellichten Tage«. Dem trägt der Redaktor in V. 33 durch die Erwähnung der »sechsten Stunde« (= 12 Uhr mittags) Rechnung. Aus mehreren Gründen läßt er dann die Finsternis in der »neunten Stunde« enden: um die Zeichenhaftigkeit der Finsternis zu steigern, um die Todesszene V. 34-39 und die Begräbnisszene V. 42-47 natürlich folgen lassen zu können und weil er wohl in V. 34a die Stundenangabe »in der neunten Stunde« schon ursprünglich vorfand. Mit Taylor bin ich also der Meinung, daß nicht *alle* Stundenangaben des Kreuzigungsberichtes sekundär sind,[18] sondern daß der ursprüngliche Bericht schon V. 34a enthielt und damit den Ansatz für die Einfügung der sekundären Stundenangaben V. 33 und V. 25 bot.[19] Damit erklärt sich auch, daß in V. 33fin und V. 34a die »neunte Stunde« zweimal und unmittelbar nacheinander erwähnt wird. Durch V. 34a ergab sich bei Einfügung von V. 33 ein »Drei-Stunden-Abstand«, den der Redaktor durch V. 25 zu einem regelrechten »Drei-Stunden-Rhythmus« der ganzen Szene weiter ausgestaltet hat. Vielleicht geht auch die sekundäre Zeitangabe »als es schon spät geworden war« (V. 42) auf die gleiche Hand zurück und soll dann das Stundenschema abrunden.

(5) Die oben ausgewiesenen Spannungen in V. 34-37 müssen zusammen besprochen werden. Es ist wohl davon auszugehen, daß V. 37 seines Inhalts wegen notwendig zum ältesten Bericht gehört haben muß. Gleiches muß aber auch von V. 34a gelten, weil dieser Vers Ps 22,2 zitiert, und zwar in Aramäisch, und weil er schon sehr früh bei der Übersetzung des Passionsberichtes ins Griechische V. 34b anzog. Schwerlich wird man daher V. 34a als eine »sekundäre Interpretation des wortlosen Schreis V. 37« ansehen können.[20] Wie

---

[18] So *Bultmann*, GST 296; *Finegan*, Leidensgeschichte 75; *Lohse*, Geschichte 97.

[19] *Taylor* 650.

[20] So *Bultmann*, GST 295; *Schreiber*, Theologie 25; *Schneider*, Passion 123f.

ist aber dann das Nebeneinander der beiden Verse 34a und 37 näherhin zu bestimmen?

Fünf Beobachtungen können hier vielleicht weiterhelfen:

1. Die Erwähnung der »neunten Stunde« V. 34a wird nicht zuerst den Gebetsruf Jesu näher bestimmen wollen, sondern sein *Sterben*.[21]

2. Die grammatische Konstruktion in V. 37 legt nicht notwendig nahe, an einen *nochmaligen* wortlosen Schrei Jesu zu denken, sondern es bleibt möglich, ἀφεὶς φωνὴν μεγάλην (einen lauten Schrei ausstoßend) auf den in V. 34a erwähnten Schrei zu beziehen.

3. Das Partizip ἀφεὶς in V. 37 macht deutlich, daß Jesus *gleichzeitig* mit einem Ruf stirbt.

4. Die durch drei Partizipien und ein Imperfectum de conatu (ἐπότιζεν = er versuchte ihn zu tränken) gekennzeichnete Schilderung in V. 36a ist offenbar mit Absicht äußerst gedrängt und konzentriert formuliert, wodurch beim Leser der Eindruck einer raschen, aber vergeblichen Aktion entstehen soll.

5. Der Anschluß von V. 37 mit ὁ δὲ Ἰησοῦς (Jesus aber) soll offenbar über V. 36a hinweg auf V. 34a zurückgreifen.

Mit diesen Beobachtungen legt sich die Annahme nahe, daß der Erzähler in V. 34a.36a und V. 37 *gleichzeitig* Ereignisse schildern will: mit dem Gebetsruf V. 34a stirbt Jesus; *während* der Ruf »mit großer Stimme« ertönt, *versucht* »einer«, den Sterbenden zu tränken; Jesus ist aber bereits gestorben. Ist die Absicht des Erzählers so richtig erfaßt, dann ist die Stundenangabe V. 34a direkt auf das Sterben Jesu in V. 37 zu beziehen. Dann muß aber auch V. 36a ursprünglicher Teil des Passionsberichtes sein, denn unmittelbar nebeneinander können V. 34a und V. 37 ursprünglich nicht gestanden haben. V. 37 ist nur sinnvoll, wenn das ἐξέπνευσεν (er hauchte aus) aus erzähltechnischen Gründen nicht gleich nach V. 34a folgen konnte.

Für die Ursprünglichkeit von V. 36a sprechen nun in der Tat mehrere Gründe:

---

[21] Richtig beobachtet von *Linnemann*, Studien 148.

1. Anlaß für den Versuch, den sterbenden Jesus zu tränken, kann nur der Ruf V. 34a sein, nicht aber V. 35. V. 36a bezieht sich also über V. 35 hinweg auf V. 34a.

2. Das τίς (jemand) von V. 36a stößt sich mit den τίνες (einige) von V. 35. Es ist nirgends gesagt, daß der τίς einer der τίνες ist.

3. V. 36a läßt den Leidenspsalm ψ 68,22 (»und gegen meinen Durst tränkten sie [ἐπότισαν] mich mit Essig« [ὄξος]) anklingen.[22] Diese Anklänge an die Leidenspsalmen sind aber für den ältesten Passionsbericht charakteristisch (s. o.).

4. In V. 36a und V. 36b ist der Versuch, den Sterbenden zu tränken, unterschiedlich motiviert. Während V. 36a ihn ursprünglich wohl mit ψ 68,22 als (allerdings vergebliche) Peinigung versteht, dient er in V. 36b dazu, das Leben Jesu zu verlängern, »damit die Hilfe durch Elia noch möglich wäre«[23].

5. Sollte es sich für den ursprünglichen Erzähler bei dem τίς um ein Mitglied des römischen Exekutionskommandos handeln, was doch wohl das Wahrscheinlichste ist, dann paßt V. 36b nicht in dessen Mund.[24]

Wir gelangen damit zu dem Ergebnis, daß in V. 34-37 mit Sicherheit V. 34a.36a.37 zum ursprünglichen Bestand der Erzählung gehört haben. V. 34b ist, wie schon erwähnt, bei der Übersetzung des Passionsberichtes ins Griechische angefügt worden. Auch V. 35.36b sind sekundär. Zwei Gründe dafür haben wir oben (s. o. 2 und 4) bei der Begründung der Ursprünglichkeit von V. 36a bereits genannt. Wenn in V. 35.36b ein *Mißverständnis* des Rufes Jesu bei den Dabeistehenden dargestellt werden soll, ergibt sich ein weiterer Grund: das ἐλωΐ kann nicht so grob mißverstanden werden.[25] Nur

---

[22] Vgl. *Bultmann*, GST 295.303f; *Dibelius*, FG 195; *Flessemann - van Leer*, Interpretation 93; *Schweizer* 204; *Schneider*, Passion 124.

[23] *Schneider*, Passion 124.

[24] Vgl. *Schmid* 303.

[25] Vgl. *Wellhausen* 140; *Lohmeyer* 345; *Schweizer* 203f u. a. *Behm* hält die Mt-Fassung des Gebetswortes Jesu für ursprünglich (BZ NF 2 [1958] 275ff). *Gnilka* dagegen meint, Jesus habe am Kreuz »Hebräisch« gebetet, das dem Volk nicht mehr geläufig war (BZ NF 3 [1959] 294ff). — *Wellhausen, Klostermann* und *Lohmeyer* wollen in V. 34 mit D Θ ἠλί lesen. Doch liegt hier Paralleleinfluß aus Mt 27,46 vor. Eine ganz phantastische Lösung findet *Boman*, Wort 233f: Jesus habe 'Eli 'attâ =

ein sprachunkundiger *Leser* war überhaupt in der Lage, eine Ähnlichkeit von ἐλωΐ mit *Elia* festzustellen.[26] Es fragt sich aber, ob in V. 35.36b nicht eine böswillige *Verdrehung* des Wortes Jesu dargestellt werden soll. Dann entfällt der obige Grund für den sekundären Charakter von V. 35.36b, doch ergibt sich sofort ein neuer: V. 35.36b haben eine polemische Spitze gegen die »Dabeistehenden«, die nach V. 31a doch wohl (zumindest *auch*) mit den Hohenpriestern und den Schriftgelehrten identifiziert werden müssen. Diese überdecken den »sterbenden Messias« noch mit Spott und Hohn. Aber das rettende Eingreifen des Elia, das sie Jesus höhnend wünschen, erfolgt nicht. Das Paradoxon, daß der *Messias stirbt*, wird nicht aufgehoben.

Es fällt schwer, den Einschub von V. 35.36b dem Konto der frühen Redaktion der Passionsgeschichte durch die hellenistischer Urgemeinde zuzuschreiben, weil keine Verbindung logischer oder intentionaler Art zu dieser Redaktion vorliegt. Auf sie geht vielmehr nur die Anmerkung V. 34b zurück. Wahrscheinlicher ist, daß der Evangelist für V. 35.36b verantwortlich ist. Darauf weist schon hin, daß er wohl auch die nachträgliche Anfügung der Schriftgelehrten in V. 31a zu verantworten hat; diese sind für ihn die typischen Gegner Jesu,[27] die er mehrfach in den Passionsbericht eingefügt hat (vgl. 14,43.53; 15,1). Auf V. 31a aber weist wohl das »einige der Dabeistehenden« von V. 35 zurück. Wichtiger für die Zuordnung von V. 35.36b zur markinischen Redaktion ist aber die Intention dieser Verse. Sie verstärken den schon V. 31b.32a im Kreuzigungsbericht enthaltenen Gedanken, daß Jesus als Messias der Gekreuzigte bleiben muß. Das »große Zeichen vom Himmel« geschieht nicht. Das Leben Jesu endet im Paradoxon des Kreuzestodes. Elias wird nicht kommen, um den Messias zu retten; er ist vielmehr schon gekommen (vgl. 9,2-12), um ihn auf seinem Leidensweg zu verherrlichen. Nur im Rahmen des markinischen Gottessohngeheimnisses

---

»Mein Gott bist du« gerufen, das dann als *'Elijjâ tâ* = »Elia, komm!« mißverstanden wurde. Dieser Ruf sei in der Urgemeinde fälschlich als Zitat aus Ps 22,18 verstanden und später mit V. 2 desselben Psalms ausgetauscht worden. Jesus habe dagegen Ps 118,28 zitieren wollen.

[26] Vgl. *Finegan*, Überlieferung 76.

[27] Vgl. *Schenke*, Studien 39ff.

und seiner Kreuzestheologie wird also V. 35.36b voll verständlich. Was die Umstehenden sich wünschen, um glauben zu können, geschieht nicht. Der Glaube ist allein auf den *Gekreuzigten* verwiesen. Vielleicht ging es dem Evangelisten mit V. 35.36b auch darum, im Rahmen seiner Wunderkritik[28] die in V. 33.38 geschilderten, sekundären Zeichen beim Tode Jesu abzuschwächen und davor zu bewahren, von seinen hellenistischen Lesern als *Epiphanie* mißverstanden zu werden.

(6) Auch V. 38 muß wegen der oben angeführten Spannungen zum Kontext und der Entsprechung mit 14,48; 15,29b als sekundär angesehen werden.[29] Die Intention dieses Einschubs dürfte nach 14,58; 15,29b.33 eindeutig sein: das Gericht am alten Tempel und der mit ihm verbundenen Heilsordnung nimmt mit dem Tode Jesu seinen Lauf; die 14,58 vorausgesagte Auflösung des Tempels beginnt.[30] Mit Recht weist Linnemann darauf hin, daß nur an ein Zerreißen des inneren Tempelvorhangs gedacht sein kann, der das »Allerheiligste« vom »Heiligtum« trennte und die Funktion hatte, »die Erscheinung der Majestät Gottes zu verhüllen«[31]. Dann wird V. 38 in der Tat weniger die beginnende Zerstörung des Tempel*gebäudes* anzeigen wollen, als vielmehr, daß der Tempel von innen her seine Funktion als Stätte der Anbetung und des Gottesdienstes im Tode Jesu verloren hat. Mit Jesu Tod ist das Ende des jüdischen Tempelkultes und damit des Judentums überhaupt gekommen.[32] Der Tempelvorhang hat keine Funktion mehr, weil Gottes Majestät nicht mehr in ihm weilt; Gott hat den Tempel verlassen.[33] Seine Funktion, so muß aus 14,58 ergänzt werden, übernimmt ein neuer (ἄλλον), »nicht mit Händen gemachter« Tempel, den Jesus »nach drei Tagen« auferbauen wird: die neue Heilsgemeinde des Gekreuzigten.

---

28 Vgl. dazu meine in Kürze im Verlag Katholisches Bibelwerk erscheinende Arbeit »Die Wundererzählungen des Markusevangeliums«.

29 *Schneider*, Passion 125.

30 *Schweizer:* EvTh 24 (1964) 352f. — Zu den unterschiedlichen Deutungen, die V. 38 erfahren hat, vgl. *Linnemann*, Studien 158ff.

31 Studien 159.162; so auch schon Bill. I 1043ff.

32 Vgl. *Hahn*, Missionsverständnis 101; *Schmid* 303; *Schulz*, Stunde 59; *Schweizer* 205.

33 Vgl. *Grundmann* 316; *Schreiber*, Theologie 37.

Die scharfe Polemik gegen den jüdischen Tempel und seinen Dienst und damit gegen das Judentum überhaupt in V. 38 ist unübersehbar. Von dieser Polemik ist aber die sekundäre Bearbeitung des Passionsberichtes in 14,57-59.62b; 15,6-15a.29bf.33 überhaupt geprägt. Deshalb muß auch V. 38 dieser Bearbeitung zugeschrieben werden; in diesem Vers gelangt die antijüdische Tendenz der Redaktion zu ihrem Ziel: Gott wohnt nicht mehr in einem »von Händen gemachten Haus« (vgl. Apg 7,48ff). Im Kreuzestod Jesu ist das Judentum als Heilsgemeinde abgelöst worden; an seine Stelle tritt nun die christliche Gemeinde. Wie 14,57-59.62b; 15,6-15a.29b.33 wird daher auch V. 38 auf die hellenistische Urgemeinde in Jerusalem zurückgehen, von deren tödlichen Auseinandersetzungen mit dem orthodoxen Judentum um die Geltung von Gesetz und Tempel Apg 6-7 ein beredtes Zeugnis gibt.[34]

(7) Daß V. 40f nicht schon ursprünglich mit dem Kreuzigungsbericht verbunden gewesen ist, ergibt sich aus unseren obigen Beobachtungen und wird heute fast allgemein angenommen.[35] Umstritten ist lediglich, ob es sich dabei um ein »isoliertes Traditionsstück«[36] oder um eine markinische Bildung handelt. Doch dürfte letzteres größere Wahrscheinlichkeit haben. Manche Gründe sprechen dafür:[37]

1. V. 40b ist deutlich als Versuch zu erkennen, zwischen den traditionellen Frauenlisten in 15,47 und 16,1 sekundär auszugleichen. Vor allem der Beiname der an zweiter Stelle genannten Maria ist eine sekundäre Zusammenziehung aus den beiden in 15,47 und 16,1 gebrauchten Beinamen. Da erst der Evangelist 16,1-8 mit der Passionsgeschichte verknüpft hat,[38] kommt auch nur er für den Versuch in Frage, zwischen den Namen auszugleichen.

---

[34] Vgl. *Bultmann*, Theologie 59; *Haenchen*, Die Apostelgeschichte (KEKNT III), Göttingen 1968, 213ff (Lit!); *Conzelmann*, Die Apostelgeschichte (HNT 7), Tübingen 1972, 50ff; *Kastings*, Die Anfänge der urchristlichen Mission, München 1969, 99ff; *Schreiber*, Theologie 63ff.

[35] *Bultmann*, GST 296; *Bartsch*: EvTh 22 (1962) 450; *Schille*: ZDPV 73 (1957) 157; *Linnemann*, Studien 138; *Broer*, Urgemeinde 106; *Schenke*, SBS 33, 23ff.

[36] *Bultmann*, GST 296; *Schille* ebd.; *Hengel*, Maria 247.

[37] Vgl. *Schenke*, SBS 33, 23ff; *Broer*, Urgemeinde 106ff.

[38] *Schenke*, SBS 33, 11-30.

2. V. 40f enthält typisch markinische Motive, so die Gegenüberstellung der beiden Stationen des Lebens Jesu: *Galiläa* und *Jerusalem*[39] und das Wegemotiv vom *Hinaufziehen* Jesu nach Jerusalem (10,32f; vgl. 8,27; 9,30.33; 10,52; 11,1).

3. Die Frauen werden im Gegensatz zu den »Zwölfen« (vgl. 10,32f)[40] als solche gezeichnet, die wahre Jüngerschaft als »Dienst« (10,43ff) und »Kreuzesnachfolge« (8,34f) verwirklichen und damit Vorbild für die Gemeinde sind (1,29ff; 14,3-9). Damit fügt sich V. 40f gut in die Intention des Evangelisten ein.

d) Umfang und Aufbau des ursprünglichen Berichtes 14,20b-47

Nach unserer literarkritischen Analyse der sekundären Elemente lassen sich folgende Verse als ursprünglicher Bestand des Berichtes über Kreuzigung, Tod und Grablegung Jesu ansehen: 15,20b.22a.23.24. 26.27.29a.31b.32.34a.36a.37.39.42(καὶ ἐπεὶ ἦν παρασκευή).43-47. Diese Verse ergeben einen glatten, organischen Erzählzusammenhang ohne literarische Spannungen, deren einzelne Züge und Elemente oft untereinander oder zur vorangehenden Darstellung der Gerichtsverhandlungen in Beziehung stehen und sich von daher als ursprünglich erweisen. So schließt V. 20b organisch an 15,16-20a an, V. 26 bezieht sich auf 15,2 zurück, V. 27 findet in V. 32b eine Entsprechung, V. 32a greift 14,61b.62a; 15,2 auf. Auch V. 39 schließt über V. 38 eng an V. 34a.37 an und bringt mit υἱὸς θεοῦ (»Sohn Gottes«) im Munde des Heiden die Messiastitulatur von 14,41b: ὁ χριστὸς ὁ υἱὸς τοῦ εὐλογητοῦ (»der Christus, der Sohn des Hochgelobten«) in Erinnerung. Er hat mit der Erwähnung des Hauptmanns sodann auch in V. 44f eine Entsprechung.

Entgegen dem fast allgemeinen Urteil der kritischen Exegese halte ich daher V. 39 nicht für sekundär und markinisch,[41] sondern für primär.[42] Daß diesem Vers dann im Rahmen der markinischen

---

[39] Vgl. *Schenke*, Studien 442ff.
[40] Vgl. *Schenke*, Studien 433f.
[41] Vgl. *Wellhausen* 141; *Bultmann*, GST 295f; *Wendling*, Entstehung 176; *Dibelius*, FG 196; *Hahn*, Missionsverständnis 101; *Linnemann*, Studien 151.
[42] Vgl. auch *Schneider*, Passion 125f. — Schneider begründet die Ursprünglichkeit von V. 39 allerdings aus Am 8,9f, der auch auf V. 33 eingewirkt

Theologie eine große Bedeutung zukommt,[43] braucht nicht dagegen zu sprechen. Schwierig ist allerdings der Anschluß mit ἰδών ... ὅτι οὕτως ἐξέπνευσεν (sehend, daß er *so* gestorben war) über V. 38 hinweg an V. 34a.37 insofern, als οὕτως sich nur schwer auf den Todes-*schrei* Jesu beziehen läßt (Wellhausen: »skurriler Unsinn«), vielmehr offenbar auf V. 33.38 zurückzublicken scheint. Völlig zwingend ist das allerdings nicht; dennoch wird man erwägen müssen, ob nicht das οὕτως erst mit V. 33.38 sekundär eingefügt wurde. Ursprünglich wird V. 39 dann glatt an V. 37 angeschlossen haben: »als der Hauptmann ... sah, daß er gestorben, sprach er ...«.

Andere Züge der Erzählung sind ganz offensichtlich oder doch wahrscheinlich den Leidenspsalmen entnommen, die sich schon in 14,53 - 15,20a als alttestamentlicher Hintergrund der Schilderung erwiesen haben. So lassen V. 24b wörtlich ψ 21,19, V. 29a wörtlich ψ 21,8 anklingen. Auch V. 30 hat in ψ 21,9 zumindest ein Stichwort. Die ganze Verspottungsszene V. 29f erinnert aber auch an Ps 31,12.19; 109,25; 119,51. V. 34a zitiert den aramäischen Text von Ps 22,2. Endlich lassen sich in V. 23.36a je ein *Anklang* an ψ 68,22 und V. 32b an ψ 34,7; 41,11; 54,13; 68,10 vermuten. V. 27 aber könnte aus Jes 53,12 gewonnen sein, wie dann die späte Glosse V. 28 verdeutlicht. Diese alttestamentliche »Substruktur« (R. Pesch) der Erzählung ist, wie schon aus 14,53 - 15,20a hervorgeht, mit Sicherheit ursprünglicher Bestandteil des Passionsberichtes (s. o. Exkurs). Damit müssen alle Verse, in denen sich solche Anklänge nachweisen oder auch nur vermuten lassen, der ursprünglichen Fassung der Erzählung zugewiesen werden.[44]

Der Aufbau des Berichtes ist klar und eindrucksvoll. Anfangs machen sechs historische Praesens den *Fortgang* der Ereignisse deutlich

---

hat. Da m. E. V. 33 sekundär ist und somit Am 8,9 offenbar erst auf einer späteren Stufe mit dem Kreuzigungsbericht in Verbindung gebracht worden ist, kann ich seine Auffassung nicht teilen.

[43] Vgl. *Vielhauer,* Christologie 208ff.

[44] Auch für V. 34a.37.39 sind weitere Anklänge an die Leidenspsalmen zu vermuten. So ist vor allem das *laute Schreien* des Beters dort oft bezeugt (vgl. Ps 22,25; 31,23; 69,4; vgl. *Dibelius,* FG 187). V. 39 aber könnte von Ps 22,28 (vgl. *Gese:* ZThK 65 [1968] 17) oder auch Weish 2,18 her beeinflußt sein.

(vgl. V. 20b-27), nur unterbrochen durch die periphrastische Konstruktion ἦν . . . ἐπιγεγραμμένη (es war angeschrieben) in V. 26, der mit dem *Fortgang* der Erzählung nichts zu tun hat, und durch das ἐδίδουν (sie versuchten zu geben) in V. 23, das »deutlich ein Imperfectum de conatu« ist.[45] Nach der Kreuzigung fährt die Schilderung dann in Vergangenheitsformen fort, in V. 29a zunächst mit einem Imperfekt (ἐβλασφήμουν = sie lästerten), das wohl die längere *Dauer* der Verspottung andeuten soll, danach in Aorist-Formen. Schon dieser Tempuswechsel läßt bewußte Gestaltung der Erzählung vermuten: nachdem Jesus gekreuzigt ist, kommt die *Bewegung* des Textes zur Ruhe, der *Gekreuzigte* steht nun ganz im Mittelpunkt, alle geschilderten Ereignisse beziehen sich auf ihn, alle Bewegungen gehen auf ihn hin. Bewußte kunstvolle Gestaltung haben wir auch für V. 34a.36a.37 schon nachgewiesen (s. o.): Durch die Stundenangabe in V. 34a gewinnt die kurze Passage Eigenständigkeit. Die Schilderung verdichtet sich dann zu völliger *Gleichzeitigkeit* der erzählten Ereignisse. Die Verse sind von großer Dramatik. Damit gewinnt der Akt des Sterbens Jesu erzählerisch erhebliches Gewicht, das durch V. 39, die erste Deutung dieses Sterbens, noch verstärkt wird. Daher können V. 34a.36a.37.39 als erzählerischer *Höhepunkt* des ganzen Kreuzigungsberichtes angesehen werden.

Die kleine Episode V. 42-47 bildet den »Abgesang« der Erzählung:[46] die fast penible Aufzählung der Bemühungen des Joseph von Arimathäa um den Leichnam Jesu läßt den ganzen Bericht nach der dramatischen Steigerung von V. 34a.36a.37.39 ruhig ausklingen. Anschaulich endet die Szene damit, daß Joseph einen Stein vor die Tür des Grabes rollt. Die Erwähnung der zuschauenden Frauen nennt Augenzeugen des Geschehens und Gewährsleute für die Kenntnis der Lage des Grabes Jesu in der Urgemeinde.

Mit sparsamsten Mitteln hat der Erzähler den Bericht gestaltet. Mosaikartig stehen die Einzelzüge nebeneinander, frommer Betrachtung und theologischer Reflexion einzeln zugänglich, und schließen

---

[45] Vgl. *Zerwick*, Untersuchungen zum Markus-Stil, Rom 1937, 54.
[46] Ob Jes 53,9 auf die Szene eingewirkt hat (so *Maurer*, Knecht 9), ist ganz unsicher; vgl. *Wolff*, Jesaja 53 im Urchristentum, 1942, 66ff.

sich doch zu einem eindrucksvollen Bild zusammen, dessen theologische Aussage und apologetische Intention im folgenden zu erheben ist.

B) AUSSAGE UND INTENTION DER URSPRÜNGLICHEN FASSUNG VON 15,20b-47

In 15,20b-47 finden wir die gleiche Theologie und apologetische Argumentationstruktur wie in 14,53 - 15,20a, ein Zeichen dafür, daß beide Abschnitte literarisch und theologisch eng zusammengehören und eine Einheit bilden. Die Linien von 14,53 - 15,20a werden hier weiter ausgezogen, doch sind die Gewichte anders verteilt. Stand in 14,53 - 15,20a das doppelte Bekenntnis Jesu, der Messias zu sein, und seine Verurteilung als Messias im Mittelpunkt, während die alttestamentlichen Farben zur Schilderung seines Leidensschicksals noch schwach waren, so leuchten diese nun besonders hell und bestimmen den gesamten Bericht. Dennoch wird auch hier festgehalten: es ist der »Messias, der König Israels«, der am Kreuz leidet und stirbt.

(1) Wie eine Überschrift hält der Kreuzestitulus 15,26 dieses Thema fest. Was Juden und Heiden wie Spott und Hohn erscheint, für die christliche Gemeinde spricht dieser Titulus die Wahrheit: »Der König der Juden«. Das Kreuz, an dem dieser König hängt, verhindert allerdings, den Titel politisch-irdisch mißzuverstehen. Die christliche Gemeinde allein weiß ihn nachösterlich zu deuten. Jesus der Gekreuzigte ist der von Israel erwartete »Messiaskönig«, der jetzt durch die Auferstehung zu Gott erhöht worden ist und bald bei seiner Parusie in Erscheinung treten wird.

Auch das Spottwort V. 31b.32a spricht die Wahrheit, ohne daß die so Höhnenden es begreifen könnten. Die Hilflosigkeit am Kreuz entlarvt Jesu Messiasanspruch nicht als Anmaßung, sie widerspricht nicht der Würde des Messias, sondern weist Jesus gerade *als Messias* aus. Sie entspricht dem Willen Gottes, der aber nur dem *Glaubenden* offenbar und verständlich ist. *Gegen allen Augenschein* glaubt die Gemeinde im Gegensatz zu den höhnenden Juden (vgl. V. 32), daß der *Gekreuzigte* »der Christus« und »der König Israels« ist.

Allerdings stellt dieser Glaube die Erwartungen des Judentums auf den Kopf. Er ist Wagnis, weil er den scheinbar sicheren Boden religiöser Erfahrung und Dogmatik verläßt und sich ganz und gar dem paradoxen Willen Gottes, der im Gekreuzigten wirksam war, ausliefert.

Ein machtvoller, alles umwertender Glaube spricht uns aus dem Kreuzigungsbericht an; die Gemeinde weicht dem Skandalon des Kreuzes Jesu nicht aus, sie versucht nicht, es theologisch und fromm zu verbrämen, sondern sie erträgt es demütig und wird dadurch frei für Gottes Willen und Tat. Man wird sich schwerlich noch vergegenwärtigen können, welcher Inbrunst und welchen Mutes es für die Urgemeinde bedurfte, dieses Bekentnis zum *gekreuzigten Messias* durchzuhalten und gegen anderslautende religiöse Erfahrung und Dogmatik zu verteidigen.

(2) Doch dieser Glaube der Urgemeinde war nicht wider alle religiöse Vernunft. Er war durchaus aus der Schrift zu begründen. Das geschieht aber auch in 15,20b-47 nicht durch den ausgeführten *Schriftbeweis,* sondern dadurch, daß das Leidensgeschick des Messias mit den Farben gezeichnet wird, die das Alte Testament bietet, wenn immer es von den tödlichen Verfolgungen und Leiden der Gerechten berichtet. Die Anklänge an die Leidenspsalmen sind in 15,20b-47 besonders deutlich, und man wird schwerlich überinterpretieren, wenn man sie auch dort und in größerer Zahl vermutet, wo sie nicht einwandfrei durch wörtliche Anklänge nachgewiesen werden können. Die Urgemeinde las diese Psalmen (vgl. Ps 22; 31; 69 u. a.) offenbar vom Christusereignis her; in ihnen fand sie das Schicksal des *Messias* vorgezeichnet. Dabei hat vor allem Ps 22 offenbar eine ganz besondere Rolle in der alttestamentlichen Schriftreflexion der Gemeinde gespielt,[1] aber ebenso wohl auch die Leidensschilderungen Jes 52,13 - 53,12, ohne daß allerdings die Sühneaussagen dieses Gottesknechtsliedes schon früh zur Deutung des Leidens Jesu herangezogen worden wären, und vielleicht Weish 2,10-20.

All diese Lieder und Reflexionen des Alten Testaments schildern das Leidensschicksal des Gerechten, seine Verfolgungen, Nöte,

---

[1] Vgl. *Gese*: ZThK 65 (1968) 1-22.

Schmähungen und tiefste Erniedrigungen bis in den Tod. War dies also das von Gott dem Gerechten zugewiesene Los? Bestand Gottes Wille darin, den Gerechten leiden zu lassen, *bevor* er ihn erhob und verherrlichte, bevor er ihm hilfreich beistand und die Würde verlieh, die ihm zustand? War dies so, dann konnte dieser Gotteswille auch *den Gerechten* vor allen Gerechten betreffen, den *Messias*. Dann sprach das Schicksal Jesu, sein erfolgloses Scheitern am Kreuz, sein scheinbares »Von-Gott-Verlassen-Sein« nicht dagegen, daß gerade er der Messias war. Damit erwies sich aber alle politisch-irdische Messiaserwartung als nur menschliche, selbstsüchtige Hoffnung, dem wirklichen Gotteswillen nicht entsprechend und die wahre Größe des Heilswillens Gottes unterschätzend: Gott *wollte* seinen Messias den Leidensweg gehen lassen, um ihn in seiner Würde und Herrlichkeit umso mächtiger in Erscheinung treten zu lassen.

Bekannte sich so, das Schicksal der Gerechten in Leiden und Tod glaubend bejahend, die christliche Urgemeinde zum *gekreuzigten Messias,* dann konnte dieser Glaube nicht ohne Rückwirkung auf das eigene Selbstverständnis und die religiöse Deutung der eigenen Existenz bleiben. Sie war als Gemeinde des Gekreuzigten selbst seinem Schicksal unterworfen und unter das Los aller Gerechten gestellt. Aus diesem Glauben konnte sie den Mut und die Kraft nehmen, verhöhnt und verfolgt in Demut am Bekenntnis festzuhalten und das künftige Handeln Gottes durch seinen Messias Jesus zu erwarten.

(3) Wir haben in 15,34a.36a.37.39 den erzählerischen und dramatischen *Höhepunkt* des ganzen Kreuzigungsberichtes vermutet. Die Verse sind dies umso mehr, als auch Theologie und Intention von 15,20b-47 hier wie in einem Brennpunkt konzentriert sind.

V. 34a ist der Höhepunkt der Darstellung der Passion Jesu in den Farben des Alten Testaments. Daß Jesus als »Gerechter« leidet, wird hier endgültig dadurch deutlich, daß er mit dem Anfang *des* Klageliedes eines »leidenden Gerechten«, Ps 22, auf den Lippen stirbt.[2] Dieser Ruf ist kein unfrommer Verzweiflungsschrei und

---

[2] Gegen *Gese,* aaO. 1, meine ich nicht, daß V. 34a andeute, Jesus bete den *ganzen* Psalm. Gese läßt die Darstellung des Kreuzestodes Jesu völlig von Ps 22 und der in diesem Psalm zu Worte kommenden, apokalyptischen Theologie her bestimmt sein. Das trifft aber nicht zu. Nicht

darf weder psychologisiert, noch existential interpretiert werden;[3] für den Erzähler ist der Ruf Gebet, das den sterbenden Jesus im Einklang mit Gott zeigen soll.[4] Jesus hat sein Leidensgeschick wie die alttestamentlichen Gerechten in der Haltung demütiger Unterwerfung unter den Willen Gottes auf sich genommen.

Nicht nur durch seine eigene Haltung wird Jesus als *leidender Gerechter* ausgewiesen, sondern ebenso durch das Tun seiner Feinde, wie es 15,23.24b.27.29a.32b darstellen. Zusammengefaßt wird all dies in V. 36a, mit dem ψ 68,22 anklingt. Aufgrund dieses Psalmanklangs muß die Aktion des τίς als Versuch angesehen werden, noch den Sterbenden zu quälen. Bis in seine Todesstunde (V. 34a) haben die gottlosen jüdischen und römischen Feinde den Gerechten verleumdet, gequält und gepeinigt. Nichts von all dem, was die Gerechten des Alten Testaments als Leiden erdulden mußten, ist dem Messias Jesus erspart geblieben.

Schließlich ist auch V. 39 ein Höhepunkt des Passionsberichtes. Formal ist der Vers eine Schlußakklamation, die in der Märtyrer-Literatur ihre Parallelen hat.[5] Doch die Bedeutung dieses Verses dürfte damit noch nicht ausreichend gekennzeichnet sein. In ihm bringt die *christliche Gemeinde*[6] positiv ihr eigenes Bekenntnis zum Ausdruck, das in der bisherigen Passionsgeschichte sonst nur im Munde der Gegner begegnete und von ihrer höhnischen Verdrehung oder ihrem falschen Verständnis verdeckt war (14,61b; 15,2.26.32a). Nun, *angesichts dieses Sterbens Jesu,* wird über den Gekreuzigten offen ausgesprochen: »Dieser Mensch war Gottes Sohn«.

Der Erzähler reflektiert nicht darüber, daß ein solches Wort im Munde eines Heiden nur im Sinne der θεῖος ἀνήρ-Vorstellung (göttlicher Mann) gemeint gewesen sein kann. Näher liegt vielmehr,

---

nur Ps 22 hat auf den Kreuzigungsbericht eingewirkt, sondern das umfassendere Motiv vom *leidenden Gerechten* (s. o. Exkurs).

[3] Gegen *Strobel,* Kerygma 140ff; ähnlich *Moltmann,* Der gekreuzigte Gott, München 1972, 142ff.

[4] Vgl. *Dibelius,* FG 194; *Suhl,* Zitate 52; *Schulz,* Stunde 137.

[5] *Bultmann,* GST 306; Bill. I 223; *Fiebig,* Jüdische Wundergeschichten des neutestamentlichen Zeitalters, Tübingen 1911, 41ff; *Peterson,* Εἷς θεός (FRLANT 41) Göttingen 1926, 184; *Surkau,* Martyrien 87; *Klostermann* 167; *Vielhauer,* Christologie 208.

[6] *Haenchen,* Weg 536.

daß er einen Anklang an 14,61b: ὁ υἱὸς τοῦ εὐλογητοῦ (der Sohn des Hochgelobten) intendiert und daher den Titel υἱὸς θεοῦ (Sohn Gottes) als alttestamentliche Königstitulatur (vgl. 2 Sam 7,14; Ps 2,7) versteht, welche die christliche Gemeinde auf den Messias angewendet hat.[7] Möglich ist auch, daß Weish 2,18 unseren Vers beeinflußt hat. V. 39 bekennt also: der *Gekreuzigte ist der Messias*! Daß ein Außenstehender, womöglich ein Heide, dieses Bekenntnis ausspricht und nicht ein Vertreter Israels, ist gewiß eine polemische Spitze des Erzählers. Dieser Zug macht deutlich, daß sich die Jüngerschaft des gekreuzigten Messias als Gemeinde der Außenstehenden, Ungeachteten und Armen verstand, die auch den Heiden gegenüber grundsätzlich offen war.

Positiv bezeugt also der ganze Abschnitt 15,34a.36a.37.39: In dem gottverlassenen Sterben Jesu am Kreuz hat sich Gottes im Alten Testament niedergelegte Wille mit dem Messias erfüllt. Auch ihm sollte das Los der alttestamentlichen Gerechten nicht erspart bleiben. So ist gerade das *Sterben Jesu* Zeichen seiner Messiaswürde. Mit dem Hauptmann kann also die christliche Gemeinde den *Gekreuzigten als Messias* bekennen.

(4) Die Tendenz des Abschnitts 15,20b-47 ist gewiß eine apologetisch-theologische. Zwar geht auch dieser Bericht von unbestreitbar historischen Fakten aus. Darunter fällt sicher die Tatsache der *Kreuzigung* Jesu überhaupt.[8] Historisch dürfte aber auch der Kreuzestitulus (15,26)[9] sowie die Tatsache der Bestattung durch Joseph von Arimathäa sein. Für letzteres und für die Kenntnis der Lage des Grabes gibt der Erzähler in V. 47 Gewährsleute an, von denen zumindest Maria Magdalena »in der frühen Urgemeinde ein einzigartiges Ansehen besessen haben« wird.[10] Möglicherweise muß auch die Erwähnung der Todesstunde V. 34a als historisch angesehen werden. Gleichwohl ist 15,20b-47 kein *historischer* Bericht. Manche Erzählzüge entstammen durchaus nicht lebendiger Erinnerung, sondern theologischer Reflexion. Das gilt vor allem für alle Anklänge

---

[7] *Vielhauer*, Christologie 209.

[8] Vgl. *Conzelmann*, Historie 37: »Kernfaktum«; *Lohse*, Prozeß 34f.

[9] *Dahl*, Messias 159ff; *Hahn*, Hoheitstitel 178; *Gnilka*, Jesus Christus 103.

[10] *Hengel*, Maria 251.

an die Leidenspsalmen (V. 23.24b.29a.36a). Bei diesen Zügen wird historische Rückfrage zwangsläufig ohne Ergebnisse bleiben müssen. Auch wenn man sie als historisch durchaus wahrscheinlich oder immerhin möglich ansehen kann, so ist doch ihre Intention deutlich eine apologetische. Sie sollen das Schicksal Jesu vom Leidensgeschick der Gerechten im Alten Testament her verständlich machen und Jesus trotz seines Kreuzes als Messias ausweisen.

Es ist also deutlich, daß der Bericht über Passion und Tod Jesu 15,20b-47 ein apologetisch-theologisches Interesse besitzt. Er will das zunächst unbegreifbare Todesschicksal Jesu aufarbeiten. Durch die Aufnahme des alttestamentlichen Motivs vom »leidenden Gerechten« gelingt es dem Erzähler, das Schicksal Jesu mit dem im Alten Testament verbürgten Heilswillen Gottes in Einklang zu bringen und von daher das national-politische Messiasideal zu überwinden. Aus der Schrift widerlegt er so die jüdische Polemik, ein *gekreuzigter Messias* sei eine Blasphemie (vgl. 14,63).

Der Verfasser selbst und die glaubende Gemeinde haben sich der Umwertung aller Werte durch das Kreuz gestellt. Hier haben sie die alles erneuernde Glaubenserfahrung gemacht, daß Gottes Handeln alle nur menschlichen Kategorien sprengt, alle menschlichen Erwartungen überholt und von keiner Dogmatik eingefangen werden kann. Daß die Urgemeinde das Wagnis einging, sich auf diese Erfahrung einzulassen und von ihr her die eigene Existenz zu entwerfen, zeigt das Bekenntnis zum *gekreuzigten Messias*, das in 15,20b-47 bezeugt und verteidigt wird.

III. Kapitel

Mk 14,32-52

A) LITERARKRITISCHE ANALYSE VON 14,32-52

Wir haben durch literarkritische Analysen den Abschnitt 14,53 - 15,47 als literarische und gedankliche Einheit erwiesen und damit bereits den Nachweis für die Existenz einer alten und im Zusammenhang erzählten Passionsgeschichte erbracht. Es wurde auch schon darauf hingewiesen, daß 14,53-65 notwendig die Erzählung von der Verhaftung Jesu voraussetzt und mit V. 53a direkt an diese anschließt. Damit ist 14,43-52 von vornherein als alter Bestandteil der Passionsgeschichte anzusehen. Es stellt sich nun die Frage, ob die älteste Passionserzählung ursprünglich einmal mit der Verhaftung Jesu begann, wie von Bultmann,[1] Jeremias,[2] Lohse[3] und neuerdings auch Schneider[4] vertreten wird. Diese These hat schon darum grundsätzlich große Wahrscheinlichkeit für sich, weil in 14,1-42 kein ursprünglicher literarischer Zusammenhang nachgewiesen werden kann, dieser Abschnitt vielmehr auf markinische Komposition und Redaktion zurückgeht.[5] Dennoch ist zu prüfen, ob nicht in 14,1-42 sich doch noch Fragmente finden lassen, die einmal den Anfang der Passionsgeschichte gebildet haben.

1. Die Verhaftung Jesu 14,43-52 *

Auch die Verhaftungserzählung ist keine spannungsfreie Einheit. Das ist längst erkannt worden. Doch die literarkritische Auflösung der Spannungen wurde auch hier meist von *historischen* Gesichtspunkten her betrieben.[6] Wenn auch die historische Frage an die

---

* Lit.: *Linnemann*, Studien 41-49; *Schneider*, Verhaftung 188-209.
[1] GST 298.301f.
[2] Abendmahlsworte 88.90.
[3] Geschichte 23.
[4] ZNW 63 (1972) 207.
[5] *Schenke*, Studien passim.
[6] Die älteren Auslegungsversuche besprechen *Linnemann*, Studien 42ff; *Schneider*, Verhaftung 189f.

Passionstexte keineswegs von vornherein abzuweisen ist, so darf sie doch nicht zum Ausgangspunkt einer literarkritischen Analyse gemacht werden. Es ist vielmehr davon auszugehen, daß auch in der Verhaftungserzählung nicht einfach ein historischer Bericht vorliegt, sondern eine *Erzählung*, die durch den Verfasser in Struktur, Inhalt und Absicht geprägt ist. Erst wenn diese Faktoren in einer *literarischen* Analyse genügend berücksichtigt und für die Interpretation ausgewertet sind, kann auch die *historische* Frage an den Text gestellt werden hinsichtlich der zugrunde liegenden Tatbestände, welche die Entstehung des Textes und seine konkrete Gestalt ermöglichten.[7]

Im folgenden sollen zuerst die literarischen Spannungen des Textes in sich und zum Kontext aufgewiesen, dann die neueren Lösungsversuche von Linnemann und Schneider dargestellt und schließlich eine eigene Lösung der Probleme geboten werden.

a) Spannungen[8]

(1) V. 43 verweist in Struktur (ἔτι αὐτοῦ λαλοῦντος = während er noch redete) und Wortwahl (παραγίνεται = hinzukommen) auf einen vorausgegangenen Bericht.

(2) Die Hauptperson von V. 43-45 wird *dreifach* gekennzeichnet: mit Namen (Judas), mit einer Herkunftsbezeichnung (einer der Zwölf) und einer Funktionsbezeichnung (sein Verräter). Sind alle *drei* Kennzeichnungen ursprünglich?

(3) In V. 43 wird so gesprochen, als gäbe es *mehrere* Hohepriester, in V. 47 dagegen so, als gäbe es nur *einen*. In V. 43 und 47 kann daher ἀρχιερεύς (Hoherpriester) offenbar nicht die gleichen Personen meinen (vgl. 14,53 s. o.).

(4) Die dreifache Aufzählung der *Auftraggeber* (vgl. παρά m. Gen.) in V. 43 wirkt sehr umständlich und steht in Spannung zu V. 53a, der die Verhaftungsszene mit der folgenden Verhörszene verbindet. Dort wird Jesus nur *zum Hohenpriester* gebracht.

(5) V. 47a ist nach dem dramatischen V. 46 merkwürdig statisch

---

[7] Vgl. *Linnemann*, Studien 69.

[8] Vgl. *Linnemann*, Studien 41f; *Schneider*, Verhaftung 191ff; *Schenke*, Studien 356ff.

formuliert. Wer ist dieser εἷς δέ τις, wer die »Dabeistehenden«? Sind es die Jünger (vgl. Mt, Lk, Joh)? Warum wird das nicht deutlicher ausgesprochen? Die Formulierung erinnert an den markinischen Vers 15,35, wo mit »einige der Dabeistehenden« aber Gegner Jesu gekennzeichnet werden. War V. 47a ursprünglich einmal deutlicher?

(6) Der Schwertstreich bleibt anscheinend ohne Reaktion. Weder die Häscher noch Jesus (vgl. V. 48.49) nehmen im folgenden von ihm Notiz. Ist dagegen vielleicht V. 50 die erzählerisch zu erwartende und notwendige Reaktion auf diesen Erzählzug?

(7) Nach den dramatischen Ereignissen von V. 46.47 wirkt V. 48a wieder merkwürdig statisch. Das αὐτοῖς (ihnen) bezieht sich grammatisch auf die »Dabeistehenden« (V. 47). Das ergibt aber nur einen Sinn, wenn damit nicht die Jünger, sondern die Häscher gemeint sind.

(8) Das Wort Jesu (V. 48f) geht weder auf den Schwertstreich (anders Mt, Lk, Joh), noch überhaupt auf die Tatsache ein, daß die Verhaftung schon vollzogen ist (vgl. V. 46). Der Infinitiv συλλαβεῖν (ergreifen, festnehmen) spricht vielmehr davon wie von einer Absicht.

(9) V. 48 unterscheidet sich auch terminologisch (συλλαβεῖν) vom Sprachgebrauch in V. 44.46 (κρατέω = ergreifen, festnehmen).

(10) Dagegen greift V. 48 fast wörtlich V. 43b auf (»mit Schwertern und Knüppeln«).

(11) V. 48 spricht wegen des Rückblicks auf V. 43 eindeutig die Häscher an. V. 49 zeigt aber, daß Jesus eigentlich deren Auftraggeber meint. Das Wort erscheint darum in der Situation der Verhaftung als unpassend.

(12) V. 49a weist zurück auf Mk 11-12: dabei greift »täglich« offensichtlich 11,11.12.15.27 auf, die Formulierung »im Heiligtum lehrend« erinnert an 12,35.38, und die Feststellung »und ihr habt mich nicht ergriffen« blickt wohl auf 11,18; 12,12 zurück. Diese Entsprechungen mit dem markinischen Kontext machen auch V. 49a als redaktionell wahrscheinlich.

(13) Die eigentümliche Ellipse »aber damit die Schriften erfüllt werden« scheint nicht nur die Verhaftung zu reflektieren, sondern vorausblickend das Passionsgeschehen als Ganzes.

(14) Nach V. 48f könnte sich V. 50 grammatisch (πάντες) auch auf die V. 48f angesprochenen Häscher beziehen, was aber keinen Sinn ergibt. Gemeint ist jedenfalls, daß die *Jünger* fliehen.

(15) Die jetzige Stellung von V. 50 nach V. 48f erweckt den unmöglichen Eindruck, die Flucht der Jünger erfolge als Reaktion auf Jesu Wort. V. 50 scheint also im jetzigen Zusammenhang zumindest schlecht plaziert zu sein.

(16) V. 51f setzt die Abführung Jesu bereits voraus (vgl. das συνακολουθεῖν = nachfolgen), die aber erst in V. 53a erzählt wird.

(17) Es bleibt im Zusammenhang gänzlich unklar, woher der ungenannte (τίς) Jüngling so plötzlich kommt.

b) Neuere Lösungsversuche

Ausgehend von diesen Spannungen stellt *Linnemann* bei ihrer Analyse der Verhaftungsszene (s. o.) fest: »Man wird fragen müssen, ob man nicht verschiedene Schichten zu unterscheiden hat« (S. 42). Diese Frage stellen heißt für Linnemann, sie positiv beantworten. Eine Alternativmöglichkeit scheint sie nicht zu kennen.

Trotz der Spannungen sieht Linnemann doch starke Entsprechungen zwischen den einzelnen Teilen des Stückes: V. 43 und V. 48f ergeben einen glatten Zusammenhang; auch V. 47 und V. 50ff entsprechen sich, und vor allem V. 44-46 lassen sich als ursprüngliche Einheit verstehen. Daraus folgert Linnemann, daß in 14,43-52 *drei ursprünglich selbständige Traditionen* sekundär miteinander verbunden worden sind (S. 46):

1. ein biographisches Apophthegma: V. 43.48f;

2. eine *Verrat*serzählung: V. 44-46;

3. *Fragmente* einer *Verhaftungs*erzählung, die vom Widerstand der Jünger zu berichten wußte: V. 47.50.51f.

ad 1. »Das Apophthegma stellt das schimpfliche Geschick Jesu in das Licht der Schrift. Es geht in ihm . . . um die Passion schlechthin . . . In diesem schimpflichen Geschick Jesu erfüllen sich die Schriften und damit der Heilswille Gottes« (S. 47).

ad 2. Die Erzählung von Jesu Verhaftung aufgrund des Judasverrats gehört ursprünglich mit 14,1f.10f zusammen und ergibt so eine geschlossene Einheit (14,1.2.10.11.44.45.46), die davon spricht, daß

Jesus *durch die Hohenpriester* (sic!) verhaftet worden ist. Eigentliches Thema der Perikope ist aber nicht die Verhaftung, sondern der Verrat (S. 48ff).

ad 3. »Die Verse 47.50-52 ergeben keine geschlossene Erzählung; sie bleiben Fragmente . . . Die Erzählung, die uns fragmentarisch erhalten ist, scheint weniger die Jünger zu entschuldigen als ihr Versagen in der Passion verstehen zu wollen« (S. 51f).

Diese drei Traditionsstücke hat Mk vorgefunden und, da »er offensichtlich auf keines verzichten wollte«, ineinandergearbeitet (S. 53). An Hand dieser Überlegungen wird Linnemann sodann »das Kompositionsgesetz der Leidensgeschichte deutlich . . .: Sie ist von Anfang bis Ende aus selbständigen Überlieferungsstücken« vom Evangelisten komponiert worden, der diese »am Faden des natürlichen Handlungsablaufs aufgereiht« hat (S. 54).

Linnemanns Analyse kann in keiner Weise überzeugen. Wer so nach eigenem Gutdünken und Geschmack einen Text meint zerhacken zu können und dem Evangelisten Kompositionskunststückchen zutraut, die weder Analogien in seinem sonstigen Kompositionsverfahren haben noch überhaupt kontrollierbar sind, wer die eigene Konstruktion nur durch eine geheimnisvolle Rekonstruktion verlorengegangener Verse aufrechterhalten kann und die nicht verrechenbaren Züge des jetzigen Textes kurzerhand als Traditions*fragmente* erklären muß, der darf sich nicht wundern, wenn seine Analyse die Kritiker wenig zu überzeugen vermag.[9]

Auch *Schneider* geht bei seiner Analyse (s. o.) von den Spannungen und Brüchen des Textes aus. Er beobachtet, daß diese sich nur in V. 47-52 finden lassen. »Der erste Teil der Erzählung, nämlich 14,43-46, läßt sich durchaus als literarische Einheit verstehen« (S. 192). Dagegen sieht Schneider die Verse 47.48-49.50 und 51-52 als sekundäre Nachträge an (S. 194ff). V. 47 trägt dem Bedürfnis Rechnung, »daß man vom Verhalten der Jesusjünger erfahren wollte, von denen im ursprünglichen Bericht keine Rede war« (S. 195). Hier zeigt sich eine ältere *vormarkinische* Redaktion der Verhaftungserzählung (S. 201f). V. 48f ist geprägt von christlicher Pole-

---

[9] Zur Kritik an Linnemann vgl. *Schneider*, Verhaftung 190f.194; *Schenke*, Studien 362 A. 1.

mik gegen die jüdischen Autoritäten und läßt sich von Struktur und Thematik her der *markinischen* Redaktion zuordnen (S. 202ff). Ebenso V. 50, der weder direkt an V. 46 noch an V. 47 anschließen kann und »nach Wortwahl, Stil und Theologie dem Evangelisten zuzuschreiben ist« (S. 204f). *Markinische* Redaktion ist auch die Schlußepisode V. 51-52 vom nackt fliehenden Jüngling, die das speziell markinische Thema der Jüngerflucht »in einem eindringlichen Bild veranschaulicht« (S. 192.205f).

In die eigentliche Verhaftungserzählung V. 43-46 hat der Evangelist nur geringfügig eingegriffen, am stärksten noch in V. 43, durch den er die Verhaftungserzählung noch enger als ursprünglich mit der Gethsemaneszene (14,32-42) verknüpft hat. Die Verhaftungserzählung könnte dann »als selbständige Einheit interpretiert werden, wenn man in ihr eine paränetische Absicht erkennt: Der Jesusjünger wird gewarnt, das Zeichen des brüderlichen Kusses wie Judas zu mißbrauchen ... Doch in welcher Situation der Gemeinde konnte eine solche Warnung aktuell sein?« (S. 206f). So liegt es näher, 14,43-46 deshalb nicht als ursprünglich selbständige Einheit anzusehen, weil »die Erzählung auf Fortsetzung hin angelegt« ist. »Sie muß weiter berichten, was ›vor dem Hohenpriester‹ mit Jesus geschah« (S. 207). »Schließlich ist 14,43-46 auch mit der voraufgehenden Gethsemane-Szene eng verbunden . . . Die Geschichte vom Judaskuß markiert also vor allem einen Punkt, von dem aus die Erzählung eine Fortsetzung erforderte . . . Mit der Verhaftungserzählung begann eine alte vor-markinische Passionstradition« (S. 207).

Die Analyse Schneiders kann insgesamt überzeugen. Vor allem der engen Zuordnung der Erzählung zum Passionskontext und der Zuweisung von V. 48f und V. 51f an die markinische Redaktion ist zuzustimmen. Die Deutung des schwierigen V. 47 befriedigt dagegen nicht. Schneider geht wie selbstverständlich davon aus, daß in V. 47 vom Schwerthieb *eines Jüngers* die Rede ist. Das ist aber wenig wahrscheinlich (s. u.).

Am wenigsten überzeugt Schneiders Argumentation zu V. 50. Eine Zugehörigkeit des Verses zur ursprünglichen Erzählung hält er deswegen für unwahrscheinlich, weil die Jünger in V. 43-46 nicht erwähnt werden (S. 195). Dem widerspricht aber seine eigene Feststellung zu V. 44: »Daß die Jünger Jesu anwesend gedacht sind, geht aus dem von Judas verabredeten Zeichen (›. . . der ist es‹) hervor« (S. 201). Ein weiterer Widerspruch ergibt sich dann, wenn 14,43-46, wie Schneider selbst vermutet, ursprünglich mit der Gethsemane-Szene verbunden war. Dann müssen die Jünger ebenfalls als bei der Verhaftung anwesend gedacht sein, und eine Notiz des Erzählers über ihre Reaktion und ihren Verbleib erscheint als notwendig. Schließlich spricht für die Ursprünglichkeit von V. 50 der schlechte Anschluß des Verses nach V. 48f (s. o.), der vermuten läßt, daß V. 50 ursprünglich einmal besser plaziert war, sowie die Spannung von V. 50 zu V. 51f, die auch Schneider konstatiert (S. 192). In unserer eigenen Analyse müssen wir daher den Problemen von V. 47 und 50 nochmals näher nachgehen, während wir uns sonst weitgehend auf die Analyse Schneiders stützen können.

c) Die Analyse

(1) In V. 43a wird das εὐθύς (sofort) und der Genitivus absolutus ἔτι αὐτοῦ λαλοῦντος (noch während er redete) meist für markinisch gehalten.[10] Das wird für εὐθύς wohl zutreffen, weil dieses hier durchaus überflüssig ist; bei dem Genitivus absolutus aber spricht nichts für markinische Bildung.[11] Da er die Verhaftung Jesu ganz eng mit 14,42 verbindet, wo gerade das Nahen des Verräters von Jesus angekündigt wird, muß er vielmehr ursprünglich sein, denn die gesamte Verhaftungsszene ist auch sonst mit der Gethsemane-szene eng verknüpft (s. u.), worauf auch die Wahl des Verbums παραγίνεται (hinzukommen) und die Art des Judaszeichens hinweisen, das ja Jesus, wie in 14,32-42 geschildert, als von Anhängern umgeben voraussetzt.

Die Kennzeichnung des Judas als »einer der Zwölf« dürfte dagegen auf Mk zurückgehen. Sie setzt voraus, daß die »Zwölf« in der Passionstradition als feste Jüngergruppe bereits eingeführt sind (vgl. 14,17.20). Dort geht aber diese Bezeichnung der Jünger auf den Evangelisten zurück, dessen besonderes Interesse an den »Zwölf« offenkundig ist.[12] Außerdem steht diese Kennzeichnung des Judas

---

[10] *Taylor* 558; *Schweizer* 182; *Schneider,* Verhaftung 199f.
[11] Der gleiche Gen. abs. in Mk 5,35 ist ebenfalls traditionell.
[12] Vgl. *Schenke,* Studien 122ff.

in einer gewissen Spannung zu V. 44, wo für Judas der *Titel* παραδιδούς (Verräter, Überlieferer) gebraucht wird.

Die umständliche Bezeichnung der Auftraggeber[13] der Häscher ist von Mk redaktionell überarbeitet.[14] Analog zu 14,53; 15,1 (s. o.) meine ich, daß der Evangelist auch hier die Mehrzahl der Gegner sekundär nachgetragen hat und für den Plural »von den Hohenpriestern aus« verantwortlich ist. Ursprünglich dürfte nur »vom Hohenpriester aus« gestanden haben. Dem entspricht, daß auch in V. 47 (s. u.) vom Hohenpriester im Singular gesprochen wird, und der Anschluß V. 53a.

(2) Ein redaktioneller Eingriff des Evangelisten kann auch in dem wenig eleganten καὶ ἐλθὼν εὐθὺς προσελθών (und er kam und kam sogleich hinzu) V. 45 vorliegen.[15] Mk könnte damit versucht haben, den Moment des schändlichen Verrats (vgl. 14,18-21) dramatisch zuzuspitzen. Doch bleibt dies unsicher.

(3) Häufig wird V. 47 für einen sekundären Einschub gehalten.[16] Seine Deutung in der kritischen Exegese kann aber nicht befriedigen.[17] Einen *Befreiungsversuch* wird der Vers schwerlich darstellen wollen. Als solcher wäre er von vornherein zum Scheitern verurteilt gewesen. Darin eine »fast lächerliche Reaktion«[18] zu sehen, hat keinen Anhalt am Text und kann höchstens für den größeren Zusammenhang von Jüngeraussagen im Markusevangelium erwogen werden. Wird hier zur *Entlastung der Jünger* so erzählt? Das müßte doch gleichfalls deutlicher gesagt werden (vgl. das »irgendeiner aber der Dabeistehenden«). Dem Text unangemessen ist wohl auch die Überlegung, der Vers sei nachträglich eingefügt worden, um die Schmach zu ahnden, die man Jesus mit der Verhaftung angetan habe.[19] Das ist zu modern-psychologisch gedacht, als habe die erzählende Gemeinde aufgestaute Agressionen abbauen müssen.[20]

---

13 Παρά m. Gen. bei Personen soll ausdrücken, »daß etwas v. dieser Pers. ausgeht« (*Bauer*, WB 1208).

14 Vgl. auch *Schneider*, Verhaftung 200.

15 *Schneider*, Verhaftung 200.

16 *Wendling*, Entstehung 183f; *Taylor* 557; *Schneider*, Verhaftung 201f.

17 Vgl. *Schneider*, Verhaftung 201f.

18 *Schneider* ebd.; *Schnackenburg* II 264.

19 *Taylor* 560; *Schneider*, Verhaftung 202.

20 Hätte dann nicht der Schwertstreich eher dem Judas gelten müssen?

Bisher gehen eigentlich alle Deutungsversuche ziemlich unreflektiert davon aus, daß es sich bei dem Schwertstreich um die Aktion *eines Jüngers* handelt. Dann ist in der Tat auffallend, daß daraufhin keinerlei Reaktion weder der Häscher noch Jesu geschildert wird, und der Vers muß deshalb als sekundär erscheinen. Gerade diese Voraussetzung ist aber genauer am Text zu prüfen. Die Formulierung »irgendeiner aber der Dabeistehenden« ist völlig offen; dabei an einen Jünger zu denken, ist keineswegs das Nächstliegendste (obwohl Mt, Lk, Joh dann so interpretieren), zumal im Kontext nur von einer Bewaffnung der Häscher berichtet wird (V. 44: »mit Schwertern und Knüppeln«). Allerdings ist der Ausdruck »die Dabeistehenden« nach V. 46 nicht sehr glücklich gewählt. Wie stellt sich der Erzähler die Szene überhaupt vor? Wie konnte es bei einem für Jesus und die Jünger doch höchst dramatischen Ereignis unbeteiligt »Dabeistehende« geben? Nun kann man wegen der ganz ähnlichen markinischen Formulierung 15,35 (τίνες τῶν παρεστηκότων = einige der Dabeistehenden) daran denken, daß zumindest das »der Dabeistehenden« (τῶν παρεστηκότων) in V. 47 auf den Evangelisten zurückgeht. Ursprünglich würde dann V. 47 nur gelautet haben: »irgendeiner aber zog sein Schwert . . .« Aber nicht nur, wenn dies zutrifft, kann in V. 47 durchaus an die mit der V. 46 erzählten Verhaftung Jesu verbundenen Aktion *eines Häschers* gedacht sein.

Geht man einmal davon aus, daß in V. 47 einer der *bewaffneten* Häscher (V. 44) sein Schwert zieht und dreinschlägt, dann wird der Vers schildern wollen, daß es bei der Verhaftung Jesu nicht ohne einen Tumult abging. Es mag Schadenfreude mitklingen, wenn dann berichtet wird, daß weder Jesus noch einer der Jünger, sondern ausgerechnet *der Knecht des Hohenpriesters* dabei verletzt wurde. V. 47 gehört also erzählerisch eng mit V. 46 zusammen.

Für diese Deutung spricht, daß V. 47 völlig im Rahmen der bisherigen Schilderung bleibt: die Erwähnung des Schwertes greift V. 44 auf und die Nennung des Knechts *des Hohenpriesters* weist auf V. 43 zurück, wo gerade der Hohepriester als Auftraggeber der Häscher genannt wird. Für unsere Deutung spricht auch, daß nun die V. 50 berichtete Jüngerflucht gut motiviert an V. 47 anschließen kann: die Jünger müssen vor dem gezückten Schwert fliehen. Die ganze bewaffnete Aktion in V. 43-47 richtete sich ja von vornherein gegen einen möglichen Widerstand der Anhänger Jesu bei dessen Verhaftung.

Wenn der Evangelist für das »der Dabeistehenden« verantwortlich ist, dann könnte in dieser Ergänzung tatsächlich schon der erste Schritt zu einem neuen Verständnis der ganzen Aktion liegen: durch einen Schwertstreich soll die Verhaftung Jesu und damit seine Passion *verhindert* werden. Dann wird in V. 47 aber nicht »Rache« an den Häschern für die Schmach Jesu genommen, sondern der Vers zeigt ein fundamentales *Mißverständnis* des so Agierenden an, das in V. 48f von Jesus richtiggestellt wird. Die Verhaftung und damit die Passion Jesu *dürfen* nicht verhindert werden, weil sie dem in der Schrift zum Ausdruck kommenden Willen Gottes entsprechen. Mk wird V. 47 dann im Rahmen des Motivs vom Jüngerversagen verstanden haben.[21]

(4) Die oben aufgewiesenen Spannungen zum Kontext machen den Schluß unabweisbar, daß V. 48f insgesamt sekundärer Einschub ist.[22] Mit Schneider halte auch ich diesen Einschub für Redaktion des Evangelisten. Dafür spricht vor allem die Formulierung von V. 49, der in seinem ersten Teil auf Mk 11-12 und insbesondere auf 11,18; 12,12.35 zurückblickt;[23] V. 49b hat seine engsten Parallelen in der markinischen Betonung der Schriftgemäßheit der Passion 9,12f; 14,21a.[24] Aber auch V. 48 ist als markinisch zu erweisen, zumal V. 48b wörtlich auf V. 43 zurückgreift.[25]

Mk macht mit diesem Wort Jesu, das die Häscher anspricht, aber die eigentlich Verantwortlichen meint (14,43; 14,53; 15,1), nochmals die Hinterhältigkeit des Vorgehens der Gegner Jesu deutlich (vgl. 11,18; 12,12; 14,1f). Zugleich betont er hier wiederum (vgl.

---

[21] Vgl. *Schenke*, Studien 357.429ff.

[22] So auch *Bultmann*, GST 289f; *Taylor* 557; *Schweizer* 182; *Schnackenburg* II 266f; *Best*, Temptation 94; *Schneider*, Verhaftung 195.202ff; *anders Hirsch*, Frühgeschichte I 159f: er unterscheidet in V. 48f *zwei* Worte (V. 48.49b und V. 49a), die sekundär ineinandergeschoben wurden.

[23] Vgl. dazu *Schenke*, Studien 54ff; *Schweizer* 182.

[24] Vgl. *Schenke*, Studien 252f.261f.

[25] *Schneider*, Verhaftung 202f.

8,31f; 9,12; 14,21.36.41),[26] daß Jesu Passion mit dem Willen Gottes im Einklang steht.

(5) Vor allem Schneider hält auch V. 50 für markinisch.[27] Er führt dafür in erster Linie sprachlich-stilistische Gründe an, die aber nicht überzeugen. Zwar ist die Konstruktion καὶ ἀφέντες mit Verbum finitum in 4,36; 8,13; 12,12 sicher redaktionell; in 1,18.20 aber ist sie ebenso sicher traditionell. Da an den zuletzt genannten Stellen und in 14,50 ἀφίεμι (zurücklassen, stehenlassen) im Kontext der *Nachfolge* steht, was für die zuerst genannten Stellen nicht zutrifft, dürfte auch in 14,50 traditioneller Sprachgebrauch das Wahrscheinlichere sein. Der Terminus ἔφυγον (sie flohen) ist in jedem Falle seines Vorkommens im Markusevangelium traditionell (vgl. 5,14; 14,50; 16,8).

Für die Ursprünglichkeit von V. 50 sprechen dagegen folgende Gründe:

(a) V. 50 steht in Spannung zu V. 48f (s. o.). Da schwerlich beide Verse auf *eine* Hand zurückgehen, ist es wahrscheinlicher, daß der sicher redaktionelle Einschub V. 48f schuld an der jetzigen unmotivierten Stellung von V. 50 ist. Damit erweist sich V. 50 aber als ursprünglicher Bestandteil der Verhaftungserzählung.

(b) V. 50 kann durchaus ursprünglich an V. 46.47 angeschlossen haben. Er zeigt dann die Reaktion der Begleitung Jesu auf seine Gefangennahme an.

(c) Da Jesus nach V. 44 in Begleitung von Anhängern sein muß, ist eine Notiz über deren Verhalten bei der Verhaftung und ihr Verbleiben durchaus zu erwarten. Dieser Grund wird verstärkt, wenn 14,32-42 mit der Verhaftungserzählung schon ursprünglich verbunden war (s. u.).

(d) In 14,27f hat der Evangelist im Rahmen seiner theologischen Konzeption die Flucht der Jünger sekundär als *Glaubensabfall* (σκανδαλίζεσθαι) gedeutet.[28] Diese Bedeutung hat V. 50 im Rahmen der Verhaftungserzählung noch nicht. Hier wird die Flucht der Anhänger Jesu noch relativ unreflektiert als Faktum berichtet. Dieser

---

[26] Vgl. dazu *Schenke*, Studien 281f.553ff.

[27] *Schneider*, Verhaftung 204f.

[28] Vgl. *Schenke*, Studien 363f.400ff.

Unterschied in der Deutung der Flucht macht wohl wahrscheinlich, daß V. 50 nicht markinisch ist. Gleichwohl hat dieser Vers dann innerhalb der markinischen Konzeption vom Versagen der Jünger eine große Bedeutung.

Ich meine also, daß V. 50 ursprünglich an V. 47 anschloß. Wenn in V. 50 nur von πάντες (alle) gesprochen wird, ohne daß die Jünger ausdrücklich genannt werden, so muß das als Hinweis darauf gewertet werden, daß die Verhaftungserzählung ursprünglich in einem größeren Zusammenhang stand, aus dem eine Identifizierung der πάντες mit den Jüngern eindeutiger möglich war (s. u.).

(6) Zum Schluß ist die rätselhafte Episode vom nackt fliehenden Jüngling V. 51f zu besprechen, die noch keine befriedigende Erklärung gefunden hat.[29] Aus den oben aufgewiesenen Spannungen zum Kontext geht aber wohl eindeutig hervor, daß V. 51f ein sekundärer Nachtrag ist. Daß hier eine wirkliche Begebenheit geschildert wird oder ein Zeuge der Verhaftung Jesu benannt werden soll, ist deshalb wohl auszuschließen und scheitert auch an der Tatsache, daß anders als in 15,21.47 der Name des Jünglings offenbar nicht bekannt ist. Wenig wahrscheinlich und kaum nachprüfbar ist auch, daß Am 2,16 auf V. 51f eingewirkt hat.[30] Darum ist wohl immer noch das Wahrscheinlichste, daß Mk diese Episode selbst gebildet hat, um »in einem eindringlichen Bild« (Schneider) nachträglich die Flucht der Jünger als heillose, das nackte Leben rettende Flucht zu kennzeichnen, die im Widerspruch steht zu der großsprecherischen Versicherung aller Jünger, mit Jesus sterben zu wollen (14,31).[31]

(7) Das *Ergebnis* unserer Analyse der Verhaftungserzählung lautet also: als ursprünglicher Bestand des Stückes lassen sich V. 43(ohne: εὐθύς = sofort; εἷς τῶν δώδεκα = einer von den Zwölfen; καὶ τῶν γραμματέων καὶ τῶν πρεσβυτέρων = und von den Schriftgelehrten und Ältesten).44-47(ohne: τῶν παρεστηκότων = der Dabeistehenden).50 erweisen. Bei der Besprechung von 14,53a.55-65

---

[29] Kurze Übersicht über die Erklärungsversuche bei *Schneider*, Verhaftung 195 A. 46 und 205 A. 96; vgl. auch *Linnemann*, Studien 51f.

[30] So *Klostermann* 152f; *Haenchen*, Weg 503; *Linnemann*, Studien 52; dagegen *Bultmann*, GST 290 A.1; *Grundmann* 297; *Schweizer* 183.

[31] Vgl. *Schenke*, Studien 357.428f; so auch *Schneider*, Verhaftung 205f.

haben wir schon darauf hingewiesen, daß die Verhandlungserzählung mit V. 53a unmittelbar an die Verhaftung anschließt (s. o.). Damit dürfte der ursprüngliche *literarische Zusammenhang* zwischen beiden Stücken gesichert sein. Zu prüfen ist aber noch, ob die Verhaftungserzählung ihrerseits auf einen vorausgehenden Erzählzusammenhang verweist oder mit V. 43 begonnen haben kann.

Blickt man zunächst nur auf die von uns rekonstruierte Verhaftungserzählung, dann lassen sich folgende Beobachtungen machen:

(a) Struktur und Stil von V. 43a erweisen sich deutlich als literarische Überleitung und setzen einen Erzählzusammenhang voraus. Der Genitivus absolutus ἔτι αὐτοῦ λαλοῦντος (noch während er redete) wird nur aus einem solchen Zusammenhang verständlich, ebenso die Wahl des Terminus παραγίνομαι (hinzukommen). Beides setzt eine Szene voraus, in der *Jesus* zu einem Kreis von Jüngern *redet*, zu dem Judas dann *hinzukommen* kann.

(b) V. 43 führt nur einen Teil der in 14,43ff agierenden und betroffenen Personen in die Erzählung ein, nämlich Judas und die bewaffnete Volksschar. Jesus und seine V. 44.50 vorausgesetzte Begleitung werden dagegen V. 43 nicht erwähnt. Sie können aber vom Erzähler nicht einfach als bekannt vorausgesetzt werden. Dieser Umstand setzt eine voranstehende Szene voraus, in der Jesus und seine Begleitung bereits eingeführt wurden.

(c) V. 43 eröffnet das Verhaftungsgeschehen lapidar mit einem καὶ . . . παραγίνεται (und . . . kam hinzu). Auffällig ist, daß hier keine näheren szenischen Angaben, zumal keine Ortsangabe gemacht werden. Letztere ist aber von der erzählten Sache her durchaus zu fordern, denn die Häscher bedienen sich des Judas offenbar zugleich als eines *Führers* und *Verräters*.

(d) V. 50 spricht nur von πάντες (alle), die fliehen, ohne diese näher zu kennzeichnen. Wer die πάντες sind, muß aber ursprünglich aus einem größeren Zusammenhang erschließbar gewesen sein.

(e) Die Verhaftungserzählung V. 43-47.50 berichtet nichts von einem Handeln oder Reden *Jesu*. Das muß trotz der Tatsache als ungewöhnlich erscheinen, daß Jesus auch sonst innerhalb der Passionsgeschichte meist als passiv Leidender geschildert wird. Ist Jesus von Judas und den Häschern überrumpelt worden? Dagegen verweist V. 43a auf ein unmittelbar vorausgehendes *Wort* Jesu.

Diese Beobachtungen lassen klar erkennen, daß die Verhaftungserzählung von sich aus ein vorausgehendes Erzählstück fordert. Dieses muß sogar in gewissem Sinn als *Einleitung* der Verhaftungserzählung verständlich zu machen sein. Enthält der jetzige Kontext von 14,43-47.50 eine literarische Einheit, die dafür in Frage kommt? Es drängt sich auf, zunächst die Gethsemaneszene 14,32-42 daraufhin zu untersuchen.

2. Mk 14,32-42 als Einleitung der Verhaftungserzählung *

a) Erster Überblick
Schon ein erster Überblick über die Gethsemaneszene 14,32-42 läßt einige Beobachtungen zu, die auf eine enge literarische Verbindung von 14,32-42 mit 14,43-47.50 hinweisen:[32]

(1) V. 32a bietet eine sehr konkrete Ortsangabe, wie sie kaum zu erwarten wäre, wenn 14,32-42 einmal isoliert überliefert wurde. Es müßte dann auch die schwierige Tatsache erklärt werden, warum die an sich keine Ortsangabe verlangende Gebetsszene eine solch genaue Ortsangabe hat, während die Verhaftungsszene ohne Ortsangabe auskommen muß. Zumindest im jetzigen markinischen Zusammenhang aber lokalisiert V. 32a *beide* Ereignisse. Das könnte jedoch auch schon ursprünglich seine Funktion gewesen sein. Dafür spricht, daß sich die Passionsgeschichte auch sonst durch konkrete Ortsangaben auszeichnet (vgl. 15,16.22).

(2) In V. 32b werden die *Jünger* als Begleitung Jesu eingeführt, wie dann 14,44.50 vorausgesetzt wird. Daß Jesus in V. 32 nicht namentlich genannt ist, dürfte auf markinische Redaktion zurückgehen, welche die Nennung Jesu hier wegläßt, weil sie ihn zuletzt V. 27 erwähnt hat.

(3) V. 34 bietet einen wörtlichen Anklang an den Leidenspsalm ψ 41,6.12; 42,5. Auch hier wird Jesus also wie in der gesamten Passionsgeschichte als »leidender Gerechter« dargestellt. Dieser alt-

---

* Lit.: *Schenke,* Studien 360-362.461-560.
[32] Vgl. auch *Schenke,* Studien 463-471.

testamentliche Anklang verbindet die Gethsemaneszene mit der übrigen Passionsgeschichte.

(4) Das Gebet Jesu V. 36 blickt auf das *gesamte Passionsgeschehen* voraus, das dann mit der Verhaftung konkret beginnt. Es verweist damit über die Gethsemaneszene hinaus auf einen größeren Zusammenhang. Jesus unterstellt sich hier in einem mustergültigen Gebet dem Willen Gottes, der auch ihm das Leidensgeschick der alttestamentlichen Gerechten zugewiesen hat. Auch damit wird eine durchgehende Linie zwischen der Gethsemaneszene und der übrigen Passionsgeschichte sichtbar.

(5) V. 42b verweist durch das »siehe, mein Verräter ist nahe« direkt auf die folgende Verhaftungsszene. Die Formulierung ὁ παραδιδούς με (der mich Verratende) wird in V. 44 quasi als *Titel* für Judas aufgegriffen: ὁ παραδιδούς αὐτόν (sein Verräter). An das Wort Jesu V. 42 schließt sodann V. 43a mit dem Genitivus absolutus unmittelbar an. Gerade der Zusammenhang von V. 42.43 könnte also deutlich machen, daß es sich in 14,32-42 und 14,43-47.50 nicht eigentlich um *zwei* Erzählungen handelt, sondern um eine planvolle literarische Einheit, in der 14,32-42 das einleitende Vorspiel ist, während 14,43-47.50 den ersten Akt des Gesamtgeschehens der Passion darstellt.

(6) Im Gegensatz zur Verhaftungsszene und der gesamten übrigen Passionsgeschichte, wo Jesus als *passiv* Erleidender gezeichnet wird, zeigt ihn 14,32-42 in höchster Aktivität: er unterstellt sich bewußt dem Willen Gottes und nimmt das ihm bestimmte Leidenslos freiwillig auf sich. Darin ist nicht eine literarische Spannung zu sehen, sondern absichtsvolle Komposition. Bevor in 14,43-47.50 die Passion Jesu mit seiner Verhaftung beginnt, zeigt der Erzähler, wie Jesus diese in Freiheit auf sich genommen hat. Weder ist er von seinem Leidenslos überrascht worden (vgl. 14,36.42), noch wollte er sich ihm entziehen. Es ist wohl von vornherein zuzugeben, daß eine solche Einleitung der Verhaftungserzählung und damit der gesamten Passion höchst sinnvoll wäre.

Schon diese ersten Beobachtungen zu 14,32-42 zeigen, daß die Gethsemaneszene literarisch völlig auf die Verhaftungsszene und die Passionsgeschichte überhaupt ausgerichtet ist. Diese Verbindungen zum nachfolgenden Kontext können nicht erst auf den Redaktor Mk zurückgehen, wie eine Analyse des Stückes 14,32-42 zeigen kann. Sie gehören schon zum ursprünglichen Bestand der Erzählung und beweisen damit, daß diese niemals selbständig überliefert wurde. Schon hier deutet sich als wahrscheinlichste Lösung an, daß 14,32-42 in seiner ursprünglichen Fassung mit der Verhaftungserzählung eine literarische Einheit bildete und als Einleitung der gesamten Passionsgeschichte anzusehen ist.

b) Die ursprüngliche Fassung von 14,32-42

In einer eingehenden und detaillierten Analyse habe ich an anderer Stelle[33] die Gethsemaneszene untersucht. Untersuchungsgang und Einzelargumente sollen hier nicht wiederholt, sondern können vorausgesetzt werden. Nach dieser Untersuchung umfaßt die ursprüngliche Gethsemaneszene folgende Verse: 14,32a.34.35a.36.37.38b. 40b.(40c.)42 (vgl. den Text unten S. 135).

Nicht sicher rekonstruierbar ist die ursprüngliche Einleitung der Szene, die offenbar durch den Evangelisten überarbeitet worden ist, als er 14,32-42 mit seiner redaktionellen Komposition 14,1-31 verknüpft hat. Doch muß diese Einleitung einmal, wie dann aus der folgenden Szene entnommen werden kann, sowohl Jesus als auch die Jünger ausdrücklich genannt haben.

Offenbleiben muß sodann, ob die Einleitung V. 32 ursprünglich auch ein genaues Datum der Passionsereignisse oder sonst eine Zeitangabe enthalten hat. Letzteres legt sich von 1 Kor 11,23 her nahe, wo Paulus offenbar eine Tradition über eine *nächtliche* Verhaftung Jesu kennt. Aber auch bei Mk spielen die 14,32-72 erzählten Ereignisse *in der Nacht*. Denkbar wäre, daß Mk eine ursprüngliche Zeitangabe aus V. 32 weggebrochen und an eine ihm günstigere Stelle innerhalb seiner Komposition versetzt hat (vgl. 14,17). Doch muß dies eine Vermutung bleiben.

Die Frage der Datierung der Passionsgeschichte ist noch schwieriger. Aufgrund meiner Untersuchung von 14,1-42 bin ich allerdings der Meinung, daß sich vor 14,32 kein zusammenhängender vormarkinischer Passionsbericht erkennen läßt.[34] Erst ab 14,32 gelingt der

---

[33] *Schenke,* Studien 461-560.
[34] *Schenke,* Studien passim.

Nachweis einer größeren und ursprünglichen literarischen Einheit. Wenn der Passionsbericht darum mit einer Datumsangabe begonnen hat, dann muß diese in der Einleitung der Gethsemaneszene gestanden haben. Nun besitzt die Passionsgeschichte allerdings selbst Anzeichen dafür, daß sie einmal mit einer Datumsangabe eingeleitet wurde. In 15,42 wird das Tun des Joseph von Arimathäa damit begründet, daß »Rüsttag« war. Das deutet auf die Nähe der Kreuzigung zu einem Sabbat oder zum Passafest hin. Nach 15,6 wird sodann eine regelmäßige *Festamnestie* (κατὰ ἑορτήν) erwähnt. Zwar ist 15,6-15a sekundär, doch beweist 15,6 immerhin indirekt, daß auch schon die ursprüngliche Passionsgeschichte die Passion Jesu auf die Zeit des Passafestes datiert haben muß, weil sonst der Einschub in dieser Form nicht möglich gewesen wäre. Von einer zeitlichen Nähe des Sterbens Jesu zum Passafest weiß im übrigen die neutestamentliche Überlieferung auch sonst (vgl. 1 Kor 5,7; Offb 5,6). Diese Beobachtungen können dafür sprechen, daß ursprünglich die Einleitung der Gethsemaneszene auch eine genauere Datumsangabe enthielt. Dann muß vermutet werden, daß diese vom Evangelisten weggebrochen und an den Anfang seines erweiterten Passionsberichtes gestellt worden ist. Sollte 14,1a diese ursprüngliche Datumsangabe sein? Unmöglich ist das nicht, doch nur zu vermuten.[35]

Im übrigen erweist unsere Analyse von 14,32-42, daß alle oben beobachteten Einzelzüge, die auf eine ursprüngliche Verbindung der Gethsemaneszene mit der Verhaftungsgeschichte und damit der Passionsgeschichte überhaupt hinweisen, ursprüngliche Bestandteile des Stückes sind. Damit dürfte wohl als erwiesen gelten, daß die ursprüngliche Fassung der Gethsemaneszene von jeher mit der Verhaftungserzählung eng verbunden und darum Einleitung und Auftakt des gesamten Passionsberichtes war.[36]

---

[35] Die redaktionelle Herkunft von 14,1a ist wohl entgegen meiner früheren Ansicht doch nicht mit Sicherheit zu erweisen, wohl aber seine redaktionelle Verwendung und Einbettung in das markinische Tagesschema in 11,12-16,8 (vgl. *Schenke*, Studien 20ff).

[36] Ähnlich auch *Schneider*, Verhaftung 200.

c) Der Aufbau der ursprünglichen Fassung von 14,32-52

Der Abschnitt ist in zwei Szenen aufgeteilt. Der Szenenwechsel wird in V. 42.43 deutlich markiert. Die erste Szene, der eindeutig das erzählerische wie inhaltliche Schwergewicht zukommt, ist gegliedert in eine Anrede Jesu an die Jünger (V. 34), sein Gebet (V. 36) und eine nochmalige Rede an die inzwischen schlafenden Jünger (V. 37b.38), die dann zur folgenden Verhaftungsszene überleitet (V. 42). Höhepunkt ist hier gewiß V. 36, der zusammen mit V. 34 Jesus in der Haltung des »leidenden Gerechten« zeigt, der durch sein Leidenslos im Letzten nicht angefochten wird und es willig aus Gottes Hand entgegennimmt. Die versagenden Jünger lassen als dunkle Folie die Gestalt Jesu noch stärker hervortreten. In V. 37f wird ihre Flucht V. 50 schon vorbereitet.

Mit dem »Hinzukommen« des Judas und der Häscher, das Jesus in V. 42 ankündigt, setzt die zweite Szene ein. Nur das für das Verständnis der Hörer und den Ablauf der folgenden Ereignisse Notwendigste wird erzählt: so, daß der Auftrag zur Verhaftung vom Hohenpriester ausgeht, zu dem Jesus dann V. 53a abgeführt wird, daß die Häscher Waffen mitführen, die sie V. 47 dann auch benützen, und daß Judas mit ihnen ein Zeichen ausgemacht hat, wie sie Jesus erkennen können. V. 45 schildert in deutlicher Steigerung gegenüber V. 44 (ῥαββί = Anrede des *Jüngers*; καταφιλεῖν = innig küssen) den ungeheuerlichen Vorgang des Verrats.[37] Wann und warum Judas sich für diesen Verräterdienst zur Verfügung gestellt hat, liegt dagegen außerhalb des Interesses der Erzählung. Mit dem Zeichen des Verräters spitzt sich die Erzählung dramatisch zu: man überwältigt Jesus (V. 46), ein Getümmel entsteht (V. 47) und die Jünger verlassen Jesus fluchtartig (V. 50). V. 53a schließt die Verhaftungsszene ab und leitet zur folgenden Verhörszene über.[38]

Der Aufbau des Abschnitts ist eindrucksvoll. Vor allem die erste Szene ist für die gesamte folgende Passionsgeschichte von äußerster Wichtigkeit, weil sie wie in einem Vorspiel verdeutlicht, wie *Jesus selbst* sein Leiden begriffen und bestanden hat. Die ganze folgende Passionserzählung, in der Jesus fast durchweg als *passiv Erleiden-*

---

[37] Zur Sitte des Begrüßungskusses im Judentum vgl. *Dibelius*, Judas 276.
[38] Vgl. *Schneider*, Passion 46.

der dargestellt wird, steht sozusagen unter dem Vorzeichen, das die Gethsemaneerzählung setzt: Jesus hat sein Leiden in frommer Hingabe aus Gottes Hand freiwillig entgegengenommen. Durch seinen eigenen Hinweis auf das Nahen des Verräters (V. 42) und die darauf folgende Verhaftung wird dieses Motiv eindrucksvoll illustriert.

B) AUSSAGE UND INTENTION DER URSPRÜNGLICHEN FASSUNG VON 14,32-52

Ausgangspunkt der Frage nach der theologischen Aussage und der Tendenz des Abschnitts muß unser Ergebnis sein, daß die Gethsemaneszene ursprünglich eine literarische Einheit mit der Verhaftungsszene gebildet hat. Diese ursprüngliche Verbindung verbietet es, in der Erzählung vom Gebetskampf Jesu eine von der Passion losgelöste eigenständige Pointe christologischer oder paränetischer Art zu suchen. Die Gethsemaneszene ist in ihrer Aussage vielmehr ganz auf die Passion ausgerichtet. Sie soll die gesamten Passionsereignisse offenbar unter eine theologische Reflexion stellen: die Auslieferung und das Leiden Jesu sind aus dem Willen des Vaters entsprungen.[1] Jesus hat sich diesem Willen gehorsam unterworfen und freiwillig den Leidenskelch übernommen.

Es kann kein Zweifel darüber bestehen, daß die Schilderung des Gebetskampfes Jesu in V. 33f.36 den Höhepunkt des ganzen Abschnitts darstellt.[2] Wie muß diese Schilderung verstanden werden? Kann sie einfachhin als Erinnerung an einen historischen Gebetskampf Jesu vor seiner Gefangennahme angesehen werden? Immer wieder ist dies mit dem Hinweis vertreten worden, daß die christliche Gemeinde schwerlich eine solch anstößige Erzählung erfunden haben könne, die der Ehre Jesu abträglich sei und Schande über Petrus und die Jünger bringe.[3]

---

[1] *Dibelius*, Gethsemane 260; *Linnemann*, Studien 28.

[2] *Dibelius*, Gethsemane 258.

[3] So schon Origenes, Contra Celsum I 24; vgl. *Lietzmann*, Bemerkungen I 266; *Schniewind* 190; *Grundmann* 292; *Boman*, Gebetskampf 210; *Taylor* 551.

Dieses Argument hat Dibelius bestritten. Die gesamte Erzählung hat, so betont er mit Recht, einen positiven Charakter. »Sie ist nicht als Zugeständnis eines gewissenhaften Historikers anzusehen, daß selbst Jesus einmal schwach geworden ist. Nein, sie ist erzählt zu Jesu Ehre.«[4] Jesus ist ja stark geblieben in seinem Gebetskampf. Gerade das Gebet Jesu drückt nicht Schwäche aus und seine Klage nicht Verzweiflung, sondern in Gebet und Klage erweist sich Jesus als im Einvernehmen mit Gott.

Dennoch wird man von unserem Ergebnis der ursprünglichen Zusammengehörigkeit von Verhaftung und Gebetsszene in Gethsemane her die Möglichkeit nicht völlig ausschließen können, daß der Schilderung des Gebetskampfes eine Erinnerung zugrundeliegt, Jesus habe in der Nacht seiner Verhaftung in Vorahnung der Ereignisse sehr intensiv gebetet. Freilich kann die jetzige Schilderung des Ereignisses nicht als genaue Wiedergabe dieses Geschehens gelten.[5] Die literarische Ausgestaltung der Szene muß vielmehr auf andere, theologisch relevantere Motive zurückgehen als auf die Absicht, ein historisches Ereignis zu schildern.

Dibelius lehnt in seiner Analys des Gethsemaneberichtes jegliche Rückführung auf ein historisches Ereignis ab. Er sieht vielmehr in der Aussage über Jesu Klage und Gebet einen urchristlichen Beweis der Messianität Jesu mit Hilfe der Klagepsalmen des Alten Testaments (vgl. Ps 22,25; 31,23; 69,4).[6] »Daß Jesus in seinem Ringen gebetet hatte ›mit Schreien und Tränen‹, war sozusagen die Verwirklichung eines alttestamentlichen Leidensideals und dementsprechend auch die Erfüllung eines messianischen Postulats.«[7]

Damit hat Dibelius den Blick frei gemacht für die Motive, die bei der erzählerischen und theologischen Gestaltung der Gethsemaneszene wirksam gewesen sind. Tatsächlich wird das Klagen und Bittgebet des »leidenden Gerechten«, wie sie vor allem in den Klagepsalmen des Alten Testaments (vgl. 22; 27; 31; 39; 42; 43; 69) laut werden, als Vorbild und Motiv der Schilderung 14,33-34 an-

---

[4] *Dibelius*, Gethsemane 259.

[5] *Kümmel*, Theologie 81; vgl. *Schweizer* 179.

[6] *Dibelius*, Gethsemane 263.266; vgl. *ders.*, FG 214.

[7] AaO. 266. — Zur literarkritischen Analyse der Gethsemaneerzählung durch Dibelius vgl. *Schenke*, Studien 544f; *Suhl*, Zitate 49f.

zusehen sein.[8] Darauf weisen sowohl die Darstellung des »Zitterns und Zagens« Jesu in 14,33b (vgl. Ps 31,10f; 69,4) als auch der wörtliche Anklang an ψ 41,6.12; 42,5 in 14,34 hin. Jesus wird damit als »leidender Gerechter« dargestellt.[9] Wie der alttestamentliche Gerechte wendet auch er sich in seiner Erniedrigung und Todesnot in einem mustergültigen Gebet um Rettung an Gott.[10] Dieses Gebet Jesu ist aber letztlich nicht flehentliche Bitte eines Verzweifelten, es ist vielmehr glaubendes Bekenntnis der Allmacht Gottes (πάντα δυνατά σοι), der als einziger aus der Not zu retten vermag,[11] und Ausdruck der völligen Unterwerfung unter den Gotteswillen (V. 36c). Absicht der gesamten Schilderung des Gebetskampfes Jesu kann daher nicht sein, Jesu Verzweiflung und Schwäche darzustellen,[12] schon gar nicht, seine wahre Menschheit zu dokumentieren,[13] sondern seine Gerechtigkeit und Ergebenheit gegenüber Gott aufzuweisen. Die alttestamentlichen Bezüge der Schilderung deuten ja an, wie eng Jesus auch in seinem Leiden mit Gott verbunden war. Selbst in der Anfechtung der nahenden Passion ist er nicht untreu geworden, sondern hat sich ganz dem Willen des Vaters unterworfen und aus seiner Hand den Leidensbecher willig angenommen. Das alttestamentliche Bild vom Becher[14] macht dabei sichtbar, daß Leiden und Tod nicht als dunkles Geschick Jesus zugestoßen sind, sondern ihm von Gott her zugedacht waren.

Der Skopus der Schilderung des Gebetskampfes Jesu ist also folgendermaßen zu umschreiben: *Jesus hat als der zum Leiden bereite Gerechte seine Passion freiwillig und in völliger Einheit mit dem Wil-*

---

[8] So auch *Linnemann*, Studien 30, die allerdings die Vorstellung vom leidenden Gerechten erst in einer ersten Redigierung der Urfassung der Erzählung wirksam werden läßt. Zu den Klagepsalmen vgl. noch *von Rad*, Theologie des Alten Testaments I, München 1962, 411ff.

[9] *Schweizer*, Erniedrigung 58; vgl. o. Exkurs.

[10] *Van Unnik*, in: FS G. Stählin, Wuppertal 1970, 28, weist nach, daß die Form des Gebetes Jesu genau der klassischen Dreiteilung entspricht, wie sie sich auch in der griechischen und römischen Literatur finden läßt: »invocatio — pars epica — prex ipsa«.

[11] Vgl. *van Unnik*, aaO. 36.

[12] So *Héring*, in: FS O. Cullmann, Leiden 1962, 65.

[13] Dagegen wendet sich mit Recht *Schrage*, Mk 14,32-42 30f.

[14] Vgl. *Schenke*, Studien 501ff.

len des Vaters auf sich genommen. Als wahrscheinlicher Beginn des ursprünglichen Passionsberichtes stellt die Gethsemaneszene die gesamte Passion unter dieses Thema.[15] Tatsächlich ist ja auch die Leidensgeschichte mit Anklängen an die Klagepsalmen durchsetzt (s. o.),[16] was auf die enge Verbindung der Gethsemaneszene zu der übrigen Passionsgeschichte hinweist.

Läßt sich auch die Darstellung des Jüngerverhaltens in V. 37.38b dieser Aussage einordnen? Zunächst wird man dazu feststellen können, daß das Versagen der Jünger in der ursprünglichen Gestalt des Berichtes nicht die Betonung erhält, die Mk ihm in seiner Redaktion gibt.[17] Ursprünglich ist es nur ein Nebenmotiv der Erzählung, das offenbar ganz im Dienste der Hauptaussage steht. Der Kontrast zwischen dem wachenden und betenden Jesus und den schlafenden Jüngern, die aus fleischlicher Schwäche nicht einmal eine Stunde mit Jesus zu wachen vermögen, deutet an, daß Jesus selbst nicht schwach geworden ist. Jesus teilt eben nicht die menschliche Schwachheit der Jünger, sondern er »ist stark geblieben in all seinem Ringen«[18]. Die Darstellung des Jüngerversagens läßt also wie auf einer dunklen Folie das Verhalten Jesu in hellerem Lichte erscheinen.

Außerdem läßt sich der Erzählungszug vom Versagen der Jünger durchaus dem Bild vom »leidenden Gerechten« einordnen, das in V. 33b.34.36 auf Jesus übertragen worden ist, denn in den Klageliedern des Alten Testaments finden sich häufig auch Aussagen über die völlige Verlassenheit und Einsamkeit des Beters (vgl. Ps 27,10; 31,12; 38,12; 69,9). Damit erweist sich nochmals, daß dieser Bericht geprägt ist von dem alttestamentlichen Motiv vom »leidenden Gerechten«. Alle Einzelzüge der Erzählung dienen dieser Kennzeichnung und sind auf Jesus konzentriert.

Ein paränetischer Zug ist in der ursprünglichen Gethsemaneszene nicht enthalten. Auch aus V. 38b läßt er sich nicht ableiten. Dieses

---

15 Ähnlich *Linnemann*, Studien 28.
16 Vgl. *Dibelius*, FG 185ff; *Goppelt*, Typos 123; *Hahn*, Hoheitstitel 194; *Flessemann-v. Leer*, Interpretation 91; *Schweizer*, Erniedrigung 56; *Suhl*, Zitate 45ff; *Gnilka*, Jesus Christus 99f.103.
17 Vgl. dazu *Schenke*, Studien 525ff.551ff.
18 *Dibelius*, Gethsemane 259.

Wort stellt vielmehr eine formelhafte, möglicherweise schon geprägte Wendung dar, mit der das Versagen der Jünger erklärt wird.[19] Es hat innerhalb der Erzählung keine betonte Eigenbedeutung.

Die *Verhaftungsszene* ist weniger theologisch gefüllt als die Gebetsszene. Sie erzählt mit dramatischen Akzenten die Inhaftnahme Jesu als ersten Akt des Passionsgeschehens. Trotz ihres stärker schildernden Charakters ist sie aber nicht einfach ein historischer Bericht, wenn sie auch wahrscheinlich auf Fakten zurückblickt. So ist wohl als historisch wahrscheinlich aus dem Bericht zu erheben, daß Jesus heimlich und unter Mithilfe des Judas an einem Ort namens Gethsemane durch ein jüdisches Kommando im Auftrag des Hohenpriesters festgenommen worden ist. Das Interesse der Erzählung besteht aber nicht darin, diese Begebenheiten zu *berichten*. Vielmehr liegt der Akzent des Erzählers wohl deutlich auf der Darstellung des schändlichen *Verrats durch Judas,* der die Verse 43-45 ausfüllt und zur Verhaftung führt, und auf der *Flucht* der durch Waffen bedrohten *Jünger,* welche mit dem Versagen der Jünger in V. 37f korrespondiert. Mit diesen beiden Zügen dürfte wiederum ein Anklang an die Leidenspsalmen intendiert sein. Immer wieder finden sich dort Aussagen darüber, daß der »leidende Gerechte« selbst von seinen Freunden und Verwandten verlassen und verraten wird (vgl. Ps 27,10; 31,12; 38,12; 41,10; 69,9). Auch diese Züge dürften sich also dem in der gesamten Passionsgeschichte gezeichneten Bild vom »leidenden Gerechten« Jesus einordnen lassen.

Unser Ergebnis lautet also: Die Gebetsszene in Gethsemane bildet zusammen mit der Verhaftungsszene eine ursprüngliche literarische Einheit. Diese will Jesus als »leidenden Gerechten« darstellen, der in gehorsamer Unterwerfung unter Gottes Willen den Leidenskelch annimmt. Da die Passionserzählung durch zahlreiche Anspielungen an die Klagepsalmen des Alten Testaments dieses Bild vom »leidenden Gerechten« durchhält, ist es überaus wahrscheinlich, daß die Gethsemaneszene der Beginn des ursprünglichen Passionsberich-

---

[19] Vgl. dazu *Schenke,* Studien 512ff. Zur Herkunft dieses Spruches und zu seinen anthropologischen und religionsgeschichtlichen Parallelen vgl. *Kuhn,* Gethsemane 275ff; *ders.,* Sektenschrift 315ff; *Sjöberg,* ThWNT VI 375f; *Schweizer,* ThWNT VI 387ff; *ders.,* ThWNT VII 123ff; *gegen Kuhn* vgl. *Meyer,* ThWNT VII 113.

tes ist. Sie muß zugleich als theologische Überschrift über den gesamten nachfolgenden Passionsbericht, der mit der Verhaftungsszene einsetzt, angesehen werden.

Zusammenfassung

1. Wir haben durch literarkritische Analyse folgenden Versbestand als ursprünglichste Schicht einer vormarkinischen Passionsgeschichte zu erweisen versucht: Mk 14,(1a.)32a*.34.35a.36-38.(40c.)42. 43*-47.50.53a.55-56.60-62a.63-65; 15,1*.3-5.2...(15b*.)16-20.22-27. 29a.31b.32.34a.36a.37.39.42*-47:

Es war aber das Pascha
und das Fest des ungesäuerten Brotes nach zwei Tagen.
(Da kommen sie) zu einem Landgut mit Namen Gethsemane.
Und er begann zu zittern und zu beben
und sagt zu (seinen Jüngern):
Meine Seele ist betrübt bis zum Tod.
Bleibt hier und wacht!
Und er ging ein wenig weiter, fiel nieder auf die Erde und sprach:
Abba, Vater, alles ist Dir möglich!
Nimm diesen Kelch von mir fort!
Aber nicht was ich will, sondern was Du willst.
Und er kommt und findet sie schlafend.
Und er sagt zu Petrus:
Simon, du schläfst? Konntest du nicht eine Stunde wachen?
Der Geist ist zwar willig, aber das Fleisch ist schwach.
Denn ihre Augen waren ihnen schwer geworden,
(und sie wußten nicht, was sie ihm antworten sollten.)
Und er sagt zu ihnen: Es ist genug!
Steht auf! Laßt uns gehen!
Siehe, der mich überliefert, ist nahe.

Und noch während er redete, kommt Judas hinzu,
und mit ihm eine Volksschar mit Schwertern und Knüppeln
vom Hohenpriester aus.
Sein Verräter hatte ihnen aber ein Zeichen gegeben:
Den ich küsse, der ist's, den ergreift und führt ihn sicher weg!
Und er kommt und sagt: Rabbi! und küßte ihn innig.
Sie aber legten Hand an ihn und nahmen ihn fest.
Irgendeiner aber aber zog das Schwert,
traf den Knecht des Hohenpriesters und hieb ihm das Ohr ab.
Da verließen ihn und flohen alle.

Und sie führten Jesus weg zum Hohenpriester.
Der Hohepriester aber und das ganze Synedrium
suchten gegen Jesus ein Zeugnis, um ihn zu töten.

Und sie fanden es nicht.
Denn viele zeugten gegen ihn,
aber ihre Zeugnisse waren nicht gleich.
Da stand der Hohepriester auf, in die Mitte,
und fragte Jesus und sagte:
Antwortest du nichts dem, was diese gegen dich bezeugen?
Er aber schwieg und antwortete nichts.
Wiederum fragte ihn der Hohepriester und sagt ihm:
Bist du der Messias, der Sohn des Hochgelobten?
Jesus aber sprach: Ich bin es!
Der Hohepriester aber zerreißt seine Kleider und sagt:
Was brauchen wir noch Zeugen?
Ihr habt die Lästerung gehört!
Was dünkt euch?
Sie aber verurteilten ihn alle, des Todes schuldig zu sein.
Und es fingen einige an, ihn anzuspeien
und sein Antlitz zu verhüllen
und zu sagen: Weissage!
Und die Diener gaben ihm Stockschläge.

Nachdem aber der Hohepriester und das ganze Synedrium
einen Beschluß gefaßt hatten,
führten sie Jesus gefesselt ab und überlieferten ihn dem Pilatus.
Und der Hohepriester klagte ihn heftig an.
Pilatus aber fragte ihn:
Antwortest du nichts? Sieh, wie sehr sie dich verklagen!
Jesus aber anwortete gar nichts, so daß Pilatus sich verwunderte.
Und Pilatus fragte ihn (wiederum):
Bist du der König der Juden?
Er aber antwortete und sagt: Du sagst es.
. . .
(Da übergab Pilatus Jesus, nachdem er gegeißelt worden,
zur Kreuzigung.)
Die Soldaten aber führten Jesus ab in den Hof
und rufen die ganze Kohorte zusammen.
Sie ziehen ihm einen Purpurmantel an
und setzen ihm eine Dornenkrone auf, die sie geflochten.
Dann fingen sie an, ihm zu huldigen:
Gegrüßt, König der Juden!
Und sie schlugen auf sein Haupt mit einem Rohr,
spien ihn an, beugten die Knie und fielen vor ihm nieder.
Nachdem sie ihn verhöhnt hatten,
zogen sie ihm den Purpurmantel aus und zogen ihm seine Kleider an.
Und sie führen ihn hinaus, um ihn zu kreuzigen.

Und sie bringen ihn zur Stätte Golgotha.
Und sie wollten ihm mit Myrrhe gewürzten Wein geben,
er aber nahm nicht.
Und sie kreuzigen ihn.
Und sie verteilen seine Kleider, das Los darum werfend,
was einer davon bekommen sollte.
Und es war als Aufschrift seiner Schuld angeschrieben:
Der König der Juden!
Und mit ihm kreuzigen sie zwei Rebellen,
einen zur Rechten, einen zur Linken.
Und die Vorübergehenden lästerten ihn,
schüttelten ihre Häupter und sagten:
Andere hat er gerettet, sich selbst kann er nicht retten.
Der Messias, der König Israels!
Er steig nun herab vom Kreuz,
damit wir sehen und glauben!
Und auch die Mitgekreuzigten lästerten ihn.

In der neunten Stunde schrie Jesus mit lauter Stunde:
Eloi, Eloi, lama sabachthani.
Da lief einer, füllte einen Schwamm mit Essig,
steckte ihn auf ein Rohr und wollte ihn tränken.
Jesus aber, einen lauten Schrei ausstoßend, hauchte aus.
Als der Hauptmann, der ihm gegenüberstand, sah, daß er aus-
gehaucht hatte, sagte er:
Wahrhaftig, dieser war ein Sohn Gottes!

Weil Rüsttag war,
kam Joseph von Arimathäa, ein angesehener Ratsherr,
der selbst auch die Herrschaft Gottes erwartete,
wagte es, ging zu Pilatus hinein und bat um den Leib Jesu.
Pilatus aber wunderte sich, ob er denn schon tot sei,
rief den Hauptmann herbei
und fragte ihn, ob er bereits gestorben sei.
Und als er es vom Hauptmann erfuhr,
schenkte er die Leiche dem Joseph.
Und er kaufte Leinwand, nahm ihn herab
und umwickelte ihn mit der Leinwand und legte ihn in ein Grab,
das aus einem Felsen herausgehauen war.
Maria von Magdala aber und Maria, die des Joses,
sahen, wohin er gelegt worden war.

Daß es sich bei diesem Text um eine ursprüngliche, in sich geschlossene literarische Einheit handelt, kann kaum bestritten werden. Die

Geschlossenheit der literarischen Darstellung, die Verwiesenheit der Einzelszenen aufeinander, die Einheitlichkeit der theologischen Aussage, die durchgehende Anwendung bestimmter literarischer Motive und die konsequent durchgeführte Färbung des gesamten Berichts mit Zügen und Topoi des alttestamentlichen Motivs vom »leidenden Gerechten« sind dafür Beweis genug.

Eine gattungsgeschichtliche Einordnung des Passionsberichtes fällt überaus schwer. Ein Vergleich mit jüdischen und frühchristlichen Martyrien führt kaum weiter.[1] Dadurch ist höchstens zu erweisen, daß die Passionsgeschichte *auch* von Motiven der Martyrerliteratur beeinflußt ist; doch die Gattung »Martyrium« liegt wohl nicht vor.[2] Entscheidender Einfluß dieser Literaturgattung findet sich erst bei Mt und vor allem bei Lk.[3] Anschauliche, erbauliche oder paränetische Züge fehlen fast ganz im ursprünglichen Passionsbericht.[4] Die Bezeichnung »Anamnese«,[5] insofern diese Gedächtnis, Erinnerung, Nachvollzug, ja gar »Begehung« meint, dürfte ebenfalls kaum weiterführen. Die hierbei als Gattungsmerkmale herangezogenen Motive und Züge des Passionsberichtes resultieren aus einer falschen literarkritischen Analyse. Natürlich sind Gedächtnis und Nachvollzug für den Passionsbericht auch charakteristisch, insofern sich hier der Glaube der Gemeinde ausspricht, aber das leitende Interesse des Berichtes kennzeichnen sie nicht.

Am ehesten dürfte noch die Bezeichnung »Passions*bericht*« zutreffen, so allgemein sie auch erscheinen mag. Ohne Zweifel ist ja die Erzählung durch ein elementares Interesse am Ausgang der *Geschichte* Jesu gekennzeichnet, wenn auch nicht im modernen historischen Sinn. Das Interesse bezieht sich auf das hinter dem vordergründig Faktischen des Prozesses und Kreuzestodes Jesu dem Glauben sichtbare eigentliche Geschehen. In der Erzählung wird Geschichte vom Osterglauben her gedeutet.[6] Doch ist diese Deutung fundamental auf das faktisch Geschehene als dem Vorgegebenen

---

[1] Vgl. *Surkau*, Martyrien, bes. 85ff.

[2] Vgl. *Schneider*, Problem 243.

[3] Vgl. *Surkau*, Martyrien 88ff.

[4] Gegen *Schille*, Passion 188ff.

[5] Vgl. *Schille*, Passion 175ff; *Gnilka*, Jesus Christus 98f.

[6] Vgl. *Dibelius*, FG 184; *Dahl*, Messias 154ff.

zurückverwiesen und bezogen. Dieses ist durch die Deutung nicht einfach manipulierbar. Wird der moderne Historiker sich daher auch außerstande sehen, Prozeß und Passion Jesu aus dem Passionsbericht umfassend historisch zu rekonstruieren, so wird er doch anerkennen müssen, daß der Bericht nicht einfach unhistorisch ist.

Das Ziel des Passionsberichtes ist es, das Leiden und Sterben *Jesu* als das Leiden und Sterben des *Messias* darzustellen. Neben dem deutenden Rückblick auf die Geschichte Jesu äußert sich darin *dogmatisches* Interesse.[7] An der Messianität Jesu wird trotz des Skandalon des Kreuzes festgehalten, ja sie wird durch das Kreuz geradezu begründet. Das Kreuz wird zum Zeichen des Messias,[8] die als Messiaszeichen angesehenen Wunder werden aber abgelehnt (vgl. 15,32). Diese alle jüdische Messiasdogmatik auf den Kopf stellende Umdeutung der Messiaserwartung[9] gelingt dadurch, daß diese mit dem Motiv vom »leidenden Gerechten« verbunden wird. Auch der Messias steht unter dem »Dogma«, daß der Gerechte nach dem im Alten Testament bezeugten Gotteswillen leiden muß.

Es erweist sich also, daß der Passionsbericht von der gläubigen und theologischen Auseinandersetzung beherrscht ist. Hier wird neue, unerhörte Theologie betrieben. Das ungeheure Geschehen um Jesus von Nazareth und die Erfahrung der eschatologischen Gottestat der Auferweckung des Gekreuzigten befähigen die Gemeinde, den Glauben an den *gekreuzigten Messias Jesus* zu wagen und zu reflektieren. Der im Alten Testament bezeugte Gotteswille weist dazu den Weg. Von hier aus kann die Gemeinde die Messiaserwartung zugleich beibehalten und neu verstehen, ihre Erfüllung in Jesus verkünden und ihre Vollendung von der Parusie erhoffen.

Weist das Moment der Auseinandersetzung zunächst in den Binnenraum der christlichen Gemeinde, wo zur Begründung und Bestärkung des Glaubens an den gekreuzigten Messias Jesus der Passionsbericht erzählt wird, so ist doch auch seine *apologetische Intention* unverkennbar. Die innere Glaubensbewältigung des im Kreuz Jesu liegenden Anstoßes befähigt die Gemeinde zur Auseinandersetzung

---

[7] Vgl. *Bultmann*, GST 307.
[8] Vgl. *Maurer*, Knecht 26.
[9] Vgl. *Hahn*, Hoheitstitel 196f; *Lehmann*, Auferweckt 253ff.

mit dem orthodoxen Judentum und seiner irdisch-nationalen Messiaserwartung. Wenn auch vielleicht nicht der Passionsbericht selbst, so dürfte doch die in ihm entwickelte Begründung des Glaubens an den gekreuzigten Messias Jesus im theologischen Streit der Urgemeinde mit dem Judentum eine Rolle gespielt haben. Wenn auch der ausdrückliche Schrift*beweis* noch fehlt, so hat die Verknüpfung des alttestamentlichen Motivs vom »leidenden Gerechten« mit der Messiasvorstellung doch argumentative Kraft. Auch so kann die Urgemeinde zeigen, daß die Schrift auf ihrer Seite steht.

Die apologetische Intention des Passionsberichts wird verstärkt durch *Polemik*. Ausdrücklich hält der Passionsbericht fest, daß Israel in seinen führenden Vertretern den »Messias« verhöhnt, mißhandelt, verurteilt, ausgeliefert und getötet hat, und das aus keinem anderen Grund, als *weil* er sich als Messias bekannt hat. Damit haben sich Israel und seine Führer als Feinde des Messias entlarvt. Schwerlich wird diese Polemik schon zwischen Christen und Juden trennen wollen, vielmehr wie Apg 2,23ff; 3,17ff zur Umkehr aufrufen.

Die Entstehung des Passionsberichtes in der Jerusalemer Urgemeinde dürfte unzweifelhaft sein. Sein »Sitz im Leben« wird, auch wenn man die Thesen von Bertram[10] und Schille[11] als zu weitgehend und spekulativ ablehnen muß, doch der »Gottesdienst« der Gemeinde gewesen sein.[12] Dort ist ohne Zweifel der Ort, wo diese sich das Geschick des Messias Jesus deutend im Bericht vergegenwärtigt und den Glauben an den *gekreuzigten Messias* bekennt (vgl. 14,61.62a; 15,2.26.32.39) und reflektiert.

Zuletzt sind zusammenfassend die Konsequenzen der Anliegen des Passionsberichtes für den Gottesglauben und das Selbstverständnis der christlichen Urgemeinde aufzuzeigen. Am Paradox des Kreuzesgeschicks des Messias erfährt sie, wie Gott handeln will und wer er ist. Er stellt seine Gerechten in das Leiden, weil er sich als der Gott erweisen will, der aus dem Tod ins Leben ruft. Wo Gott handelt, da werden bloß *menschliche* Hoffnungen und Erwartungen

---

[10] Vgl. *Bertram*, Leidensgeschichte passim, bes. 96ff.

[11] Vgl. *Schille*, Passion 175ff.

[12] Vgl. *Schmidt*, Rahmen 305; *Hahn*, Hoheitstitel 194; *Schweizer* 164; *Gnilka*, Jesus Christus 99f.

über ihn, und seien es religiöse und fromme, zunichte gemacht, da kommt es zur Umwertung aller Werte. Denn Gott will nicht das Abbild unserer Vorstellungen und Wünsche sein, sondern Herr über sein Geschöpf, das er zum neuen Leben bestimmt hat. Das Kreuz des Messias beweist, daß Gott gerade dort handeln und zum Zuge kommen will, wo es der Mensch von sich aus nicht erwartet. So wird vom Kreuz her jedes menschliche Denken über Gott, und sei es das frömmste, der Kritik unterzogen. Wer Gott wirklich ist, kann nur der erfahren, der dieses paradoxe Handeln Gottes in Leiden und Kreuz annimmt und sich ihm glaubend unterstellt. Nur den Verlierern, den Geschundenen und Untergehenden erweist sich Gott als Retter und Spender neuen Lebens.

Aus diesem Gottesglauben erwächst der Gemeinde ein neues Selbstverständnis. Sie weiß sich als die Gemeinde des *gekreuzigten Messias*. Darum kann sie die Verachtung, Verleumdungen und schließlich Verfolgungen seitens der Feinde des Gekreuzigten ohne Anfechtung ertragen. Sie weiß sich ins Leiden und unter das Kreuz gerufen, auf die Straße der Verlierer gestellt. Nur so, sub contrario, erfährt sie Gottes endzeitliches Heil in ihrer Mitte schon als anwesend, dessen endgültiges Offenbarwerden sie von der Parusie des Messias Jesus erwartet.

2. Die Verse 14,57-59.62b; 15,6-15a.21.29b.30.33.38 meine ich als eine einheitliche frühe Redaktion des ursprünglichen Passionsberichtes ansehen zu können. Diese Zusätze und Ergänzungen führen die Tendenzen des ursprünglichen Berichtes weiter, pointieren sie aber apologetisch und ziehen in scharfer Polemik theologische Konsequenzen. Durchgehende antijüdische Polemik kennzeichnet also diese Redaktion, eine scharfe Auseinandersetzung der christlichen Gemeinde mit dem offiziellen Judentum wird sichtbar.

Mk 14,62b knüpft am Bekenntnis zum *gekreuzigten Messias* des ursprünglichen Passionsberichtes an und betont, daß gerade der *Gekreuzigte* als Messias/Menschensohn durch die Auferweckung zu Gott erhöht worden ist und von dort her als solcher in Erscheinung treten wird. Zwar war auch das Bekenntnis zum *gekreuzigten Messias* von der Auseinandersetzung mit der jüdischen Messiaserwartung geprägt. In 14,62b geht die apologetisch-polemische Spitze nun aber direkt *gegen* das offizielle Judentum. Das wird durch das an das Synedrium gerichtete ὄψεσθε (ihr werdet sehen) deutlich.

Mk 14,57-59; 15,29b greifen insofern eine Tendenz des ursprünglichen Passionsberichtes auf, als aus ihm der unerhört neue Glaube der Christen und ihr Selbstverständnis als Gemeinde des *gekreuzigten Messias* sprechen. Die Verse spitzen sich auch hier durch die Aufnahme des Wortes gegen den Tempel polemisch zu. Der alte, »von Händen gemachte« Tempel wird durch einen neuen geistigen Tempel abgelöst, der von Jesus erbaut wird. Da der neue Tempel die christliche Gemeinde meint, dürfte der »von Händen gemachte« Tempel die alte, nun abgelöste Heilsgemeinde Israel repräsentieren. Zwar wird das Tempelwort jeweils den Gegnern Jesu in den Mund gelegt und von ihnen mißverstanden, doch muß das als literarischer Kunstgriff angesehen werden, um das Tempelwort in den Passionsbericht einfügen zu können. In der Sache steht die hier redigierende Gemeinde hinter dem Wort 14,58, das die Ablösung der alten Heilordnung durch eine von Jesus herbeigeführte neue ankündigt. Daß diese Ablösung im Kreuzestod Jesu geschieht, machen dann die Einschübe 15,33.38 deutlich. Sie zeigen an, daß im Tod Jesu das Gericht über den Tempel und das mit ihm verbundene Judentum ergangen ist. Der Tempel hat seine Funktion verloren.

Schließlich wird die im ursprünglichen Passionsbericht bereits enthaltene Polemik gegen die jüdischen Führer, die ihren Messias verworfen haben, in 15,6-15a dadurch erheblich verschärft, daß Pilatus entlastet und dadurch nun dem Hohenpriester und dem jüdischen Volk nicht nur die Alleinschuld für den Mord am Messias Jesus gegeben wird, sondern zugleich ihre niederen Motive, die zur Auslieferung Jesu führten, und ihre Heuchelei, mit der sie einen Mörder dem Messias vorgezogen haben, aufgezeigt werden.[13]

Auf dem Hintergrund dieser antijüdischen Polemik zieht die Redaktion des Passionsberichtes die theologische Konsequenz: der Tod Jesu ist die Grenzscheide zwischen alter und neuer Heilsordnung. Die durch den Auferstandenen begründete neue Gemeinde tritt an

---

[13] Eine politische Apologie des Christentums vor dem römischen Staat kommt dagegen noch nirgends in den Blick; gegen *Brandon,* Factor 34-46.

die Stelle Israels und seines Tempels. Tempeldienst und Kultgesetz sind damit aufgehoben.

Starke historische und traditionsgeschichtliche (vgl. Apg 6,14; 7,48f.56) Gründe sprechen dafür, diese Redaktion des ursprünglichen Passionsberichtes in Kreisen jener Hellenisten der Jerusalemer Urgemeinde anzusetzen, die sich um Stephanus geschart hatten und nach Ausweis von Apg 6-7 heftig gegen Tempel und Gesetz polemisierten.[14] Nach ihrer Vertreibung aus Jerusalem eröffneten sie in der Konsequenz ihrer kritischen Einstellung die Heidenmission (Apg 8). Die tödlichen Auseinandersetzungen dieser Gruppe mit dem offiziellen Judentum scheinen sich auch in der Redaktion der Passionsgeschichte niedergeschlagen zu haben. Ob diese Redaktion noch vor ihrer Vertreibung aus Jerusalem erfolgte, muß offenbleiben. Da das Motiv des »stellvertretenden Sühnetodes Jesu für die Vielen«, das wohl auch in dieser Gruppe zuerst aufgegriffen wurde, in der Redaktion des Passionsberichtes noch fehlt,[15] könnte diese jedenfalls schon sehr früh erfolgt sein. Dafür könnte auch der Einschub V. 21 sprechen, mit dem diese Gruppe *ihren* Zeugen der Passion Jesu nennt.

3. Der Passionsbericht ist der Höhepunkt des markinischen Evangeliums und seiner Kreuzestheologie.[16] Mk hat sein Evangelium vom Passionsbericht her entfaltet. Das gilt für das literarische Vorgehen des Evangelisten,[17] mehr aber noch für seine theologische Absicht. Als Ziel und Höhepunkt der gesamten markinischen Darstellung hat darum die Passion Jesu als Maßstab und Korrektiv für alle im Markusevangelium gebotene Tradition zu gelten. Der im Markusevangelium in Erscheinung tretende Gottessohn Jesus ist immer zugleich der Gekreuzigte, und das Kreuz ist die eigentliche Offenbarung seiner Göttlichkeit. Das markinische Verständnis des Passions-

---

[14] Vgl. *Schreiber*, Theologie 63ff; *Haenchen*, KEKNT III (1968) 213ff (Lit!).

[15] Gegen *Maurer*, Knecht passim.

[16] Vgl. *Schenke*, Studien passim. — Vgl. auch meine in Kürze erscheinende Studie zum markinischen Verständnis der Wundererzählungen.

[17] Vgl. *Marxsen*, Der Evangelist Markus (FRLANT 49) Göttingen 1959, 17ff.

berichtes ist daher schon im gesamten Evangelium vorbereitet, zuletzt in dem redaktionell geschlossenen Block 14,1-32.[18] In diesem ist es wiederum vor allem die Gethsemaneszene, in der der Evangelist seine Deutung anzeigt.[19] Drei Momente hebt er hier hervor, die aber schon sein ganzes Evangelium durchziehen:

a) die Passion Jesu entspricht dem Heilswillen Gottes (14,35; vgl. 8,31; 9,12.31; 10,33f; 14,21);

b) sie ist die eschatologische *Stunde* Gottes, in der er sub contrario handelt (14,41);

c) sie kann dem Jünger zur Versuchung des Abfalls werden (14,38-40; vgl. 8,32f; 13,13.33-37; 14,26-31).

In allen drei Punkten zieht der Evangelist Tendenzen des ursprünglichen Passionsberichtes aus und verdeutlicht sie. Aus c) wird zudem der aktuelle Anlaß für sein Evangelium erkennbar, mit dem Mk seine Gemeinde vor der Verachtung des Kreuzes warnt und in die Kreuzesnachfolge ruft.

Der Evangelist hat auch durch redaktionelle Eingriffe in den Passionsbericht selbst seine Deutung der Passion Jesu vertieft. In 14,48f findet sich der letzte ausdrückliche Hinweis darauf, daß das Passionsgeschehen mit dem im Alten Testament bezeugten Gotteswillen in Einklang steht. Durch 15,35.36b hat der Evangelist die Todesszene Jesu zum Höhepunkt seines Messiasgeheimnisses ausgestaltet: das sichtbare »Zeichen vom Himmel« zur Errettung des Gekreuzigten wird verweigert (vgl. 8,11f). Das Skandalon des Kreuzes wird nicht aufgehoben. Jesus bleibt der Gekreuzigte und kann nur so als »Gottessohn« erkannt werden (15,39). Damit ist das Paradox ausgesprochen, daß Gott gerade im Kreuz sich geoffenbart und gehandelt hat.

In 14,51f.66-72 (vgl. 14,26-31) führt der Evangelist das Thema des Jüngerversagens angesichts des Kreuzes in den Passionsbericht selbst ein. Die Jünger und insbesonder Petrus haben sich vom *Gekreuzigten* losgesagt,[20] weil sie nicht in die Kreuzesnachfolge eingetreten sind. Ihr Abfall wird zur Mahnung für die Gemeinde, vor dem

---

[18] Vgl. dazu *Schenke*, Studien passim.

[19] Vgl. *Schenke*, Studien 461ff.

[20] Vgl. dazu *Schenke*, Studien 348ff.

Kreuz nicht zu versagen. In 15,40f wendet der Evangelist dieses Thema positiv. Hier werden die Frauen, die Jesus von Galiläa bis unter das Kreuz nachgefolgt sind und im »Dienen« wahre Jüngerschaft verwirklicht haben (vgl. 10,42-45; 14,3-9), der Gemeinde als Vorbild dargestellt.

In 16,1-8 gibt der Evangelist dem Passionsbericht einen neuen Abschluß. Zielvers ist hier der markinische Einschub V. 7: der Auferstandene ruft seine Jünger erneut in die Nachfolge. V. 6 aber zeigt an, daß auch der Auferstandene stets der *Gekreuzigte* bleibt. Nachfolge des Auferstandenen verwirklicht sich daher als *Kreuzesnachfolge*. Damit zieht der Evangelist die ekklesiologische Konsequenz aus dem Passionsbericht. Sie hat er zum zentralen Thema seines Evangeliums gewählt (vgl. 8,34ff).

Literaturverzeichnis (Auswahl)

Die *Kommentare* zum Mk-Ev wurden nicht aufgenommen (vgl. dazu W. G. *Kümmel*, Einleitung in das Neue Testament, Heidelberg [17]1973, § 41). Sie werden nur mit Verfassernamen und Seitenzahl zitiert.

Für die verwendeten *Abkürzungen* vgl. *H. Haag*, Bibellexikon, Einsiedeln/Zürich/Köln 1968.

Best E., The Temptation and the Passion. The Markan Soteriology (NTS Mon. Series 2) Cambridge 1965.

Bertram G., Die Leidensgeschichte Jesu und der Christuskult (FRLANT 32) Göttingen 1922.

Biehler L., ΘΕΙΟΣ ΑΝΗΡ. Das Bild des »göttlichen Menschen« in Spätantike und Frühchristentum, Darmstadt 1967.

Black M., An Aramaic Approach to the Gospel and Acts, Oxford [3]1967.

Blass F. / Debrunner A., Grammatik des neutestamentlichen Griechisch, Göttingen [10]1959 (= Bl.-Debr.).

Blinzler J., Der Prozeß Jesu, Regensburg [4]1969.

— Das Synedrium von Jerusalem und die Strafprozeßordnung der Mischna: ZNW 52 (1961) 54-65.

— Zum Prozeß Jesu: Leb. Zeugnis 1 (1966) 47-67.

Boman Th., Der Gebetskampf Jesu, in: Die Jesusüberlieferung im Lichte der neuen Volkskunde, Göttingen 1967, 208-221.

— Das letzte Wort Jesu: ebd. 221-236.

Bornhäuser K., Zeiten und Stunden in der Leidens- und Auferstehungsgeschichte, Gütersloh 1921.

Bousset W./Gressmann H., Die Religion des Judentums im späthellenistischen Zeitalter (HNT 21) Tübingen [4]1966.

Brandon S. G. F., The Apologetical Factor in the Marcan Gospel, in: Studia Evangelica II (ed. by *F. L. Cross*) Berlin 1964, 34-46.

— The Trial of Jesus of Nazareth, London 1968.

Braumann G., Markus 15,2-5 und Markus 14,55-64: ZNW 52 (1961) 273-278.

Broer I., Die Urgemeinde und das Grab Jesu (StANT 31) München 1972.

Bultmann R., Die Geschichte der synoptischen Tradition (FRLANT 12) Göttingen [6]1964 (Erg. Heft [4]1971 = GST).

— Theologie des Neuen Testaments, Tübingen [5]1965.

Burkill T. A., Mysterious Revelation. An Examination of the Philosophy of St. Mark's Gospel, Ithaca/New York 1963.

— The hidden Son of Man in St. Mark's Gospel: ZNW 52 (1961) 189-213.

Conzelmann H., Historie und Theologie in den synoptischen Passionsberichten, in: Zur Bedeutung des Todes Jesu, Gütersloh 1967, 35-53.

Dahl N. A., Der gekreuzigte Messias, in: Der historische Jesus und der kerygmatische Christus (hrsg. von *Ristow/Matthiae*) Berlin 1961, 149-169.

Dibelius M., Die Formgeschichte des Evangeliums, Tübingen ⁵1966 (= FG).

— Die alttestamentlichen Motive in der Leidensgeschichte des Petrus- und Johannesevangeliums, in: Botschaft und Geschichte I, Tübingen 1953, 221-247.

— Das historische Problem der Leidensgeschichte: ebd. 248-257.

— Gethsemane: ebd. 258-271.

— Judas und Judaskuß: ebd. 272-277.

Doeve J. W., Die Gefangennahme Jesu in Gethsemane. Eine traditionsgeschichtliche Untersuchung, in: Studia Evangelica I (ed. by *F. L. Cross*) Berlin 1959, 458-480.

Finegan J., Die Überlieferung der Leidens- und Auferstehungsgeschichte Jesu (BZNW 15) Berlin 1934.

Flesseman-van Leer E., Die Interpretation der Passionsgeschichte vom Alten Testament aus, in: Zur Bedeutung des Todes Jesu, Gütersloh 1967, 79-96.

Gese H., Psalm 22 und das Neue Testament: ZThK 65 (1968) 1-22.

Gnilka J., »Mein Gott, mein Gott, warum hast du mich verlassen?« (Mk 15,34 Par.): BZ NF 3 (1959) 294-297.

— Die Verhandlungen vor dem Synedrium und vor Pilatus nach Markus 14,53-15,5, in: EKK Vorarbeiten 2, Zürich/Neukirchen 1970, 5-21.

— Jesus Christus nach frühen Zeugnissen des Glaubens, München 1970.

Goppelt L., Typos. Die typologische Deutung des Alten Testaments im Neuen, Darmstadt 1966.

Haenchen E., Historie und Geschichte in den johanneischen Passionsberichten, in: Zur Bedeutung des Todes Jesu, Gütersloh 1967, 55-78.

Hahn Ferd., Christologische Hoheitstitel (FRLANT 83) Göttingen ³1966.

— Das Verständnis der Mission im Neuen Testament (WMANT 13) Neukirchen 1963.

— Der urchristliche Gottesdienst (SBS 41) Stuttgart 1970.

Hengel M., Maria Magdalena und die Frauen als Zeugen, in: Abraham unser Vater (FS O. Michel), Leiden/Köln 1963, 243-256.

Hillmann W., Aufbau und Deutung der synoptischen Leidensberichte, Freiburg 1941.

Hirsch E., Frühgeschichte des Evangeliums I, Tübingen ²1951.

Holtzmann O., Das Begräbnis Jesu: ZNW 30 (1931) 311-313.

Jeremias J., Die Abendmahlsworte Jesu, Göttingen ⁴1967.

— Παῖς (θεοῦ) im Neuen Testament, in: Abba, Göttingen 1966, 191-216.

Klein G., Die Verleugnung des Petrus. Eine traditionsgeschichtliche Untersuchung: ZThK 58 (1961) 285-328.

— Die Berufung des Petrus: ZNW 58 (1967) 1-44.

Klinzig G., Die Umdeutung des Kultes in der Qumrangemeinde und im NT (Stud. z. Umwelt d. NT 7) Göttingen 1971.

Kümmel W. G., Verheißung und Erfüllung (AThANT 6) Zürich 1953.
— Die Theologie des Neuen Testaments (NTD Erg. Reihe 3) Göttingen 1969.
Kuhn K. G., Jesus in Gethsemane: EvTheol 12 (1952/53) 260-285.
— Die Sektenschrift und die iranische Religion: ZThK 49 (1952) 296-316.
— Πειρασμός — ἁμαρτία — σάρξ im Neuen Testament und die damit zusammenhängenden Vorstellungen: ZThK 49 (1952) 200-222.
Lehmann K., Auferweckt am dritten Tag nach der Schrift (Quaest. disp. 38) Freiburg ²1968.
Lescow Th., Jesus in Gethsemane: EvTheol 26 (1966) 141-159.
Lietzmann H., Der Prozeß Jesu, in: Kleine Schriften II, Berlin 1958, 251-263.
— Bemerkungen zum Prozeß Jesu: ebd. 264-268.269-276.
Linnemann E., Die Verleugnung des Petrus: ZThK 63 (1966) 1-32.
— Studien zur Passionsgeschichte (FRLANT 102) Göttingen 1970.
Lohse E., Märtyrer und Gottesknecht (FRLANT 64) Göttingen 1955.
— Der Prozeß Jesu Christi, in: Ecclesia und Respublica (FS K.D. Schmidt) Göttingen 1962, 24-39.
— Die Geschichte des Leidens und Sterbens Jesu Christi, Gütersloh 1964.
— Die alttestamentlichen Bezüge im neutestamentlichen Zeugnis vom Tode Jesu Christi, in: Zur Bedeutung des Todes Jesu, Gütersloh 1967, 97-112.
Mahoney A., A New Look at »The Third Hour« of Marc 15,25: CBQ 28 (1966) 292-299.
Maurer Ch., Knecht Gottes und Sohn Gottes im Passionsbericht des Markusevangeliums: ZThK 50 (1953) 1-38.
Norden E., Agnostos Theos. Untersuchungen zur Formengeschichte religiöser Rede, Darmstadt ⁵1971.
Peddinghaus C. D., Die Entstehung der Leidensgeschichte, masch. Diss. Heidelberg 1965.
Perrin N., Was lehrte Jesus wirklich?, Göttingen 1972.
Pesch R., Naherwartungen. Tradition und Redaktion in Mk 13, Düsseldorf 1968.
Ramsey A. M., The Narratives of the Passion, in: Studia Evangelica II (ed. by F. L. Cross) Berlin 1964, 122-134.
Rehm M., Eli, Eli, lamma sabacthani: BZ NF 2 (1958) 275-278.
Rese M., Überprüfung einiger Thesen von Joachim Jeremias zum Thema des Gottesknechtes im Judentum: ZThK 60 (1963) 21-41.
Ruckstuhl E., Chronologie und Ablauf der Leidensgeschichte, in: Am Tisch des Wortes 1, Stuttgart 1965, 5-12.
Ruppert L., Jesus als der leidende Gerechte (SBS 59) Stuttgart 1972.
— Der leidende Gerechte (FzB 5) Würzburg 1972.
Schelkle K. H., Die Passion Jesu in der Verkündigung des Neuen Testaments, Heidelberg 1949.

Schenke L., Auferstehungsverkündigung und leeres Grab (SBS 33) Stuttgart ²1969.
— Studien zur markinischen Passionsgeschichte (FzB 4) Würzburg 1971.
Schille G., Das Leiden des Herrn: ZThK 52 (1955) 161-205.
Schmid J., Die Darstellung der Passion Jesu in den Evangelien: Geist u. Leben 27 (1954) 6-15.
Schmidt K. L., Der Rahmen der Geschichte Jesu, Darmstadt 1964.
Schnackenburg R., Das Evangelium nach Markus (Geistl. Schriftlesung 2/1-2) Düsseldorf 1966.1971.
Schneider G., Verleugnung, Verspottung und Verhör Jesu nach Lukas 22,54-71 (StANT 22) München 1969.
— Gab es eine vorsynoptische Szene »Jesus vor dem Synedrium«?: NovT 12 (1970) 22-39.
— Das Problem einer vorkanonischen Passionserzählung: BZ NF 16 (1972) 222-244.
— Die Verhaftung Jesu: ZNW 63 (1972) 188-209.
— Die Passion Jesu nach den drei älteren Evangelien, München 1973.
Schrage W., Bibelarbeit über Markus 14,32-42, in: Bibelarbeiten, gehalten auf der rhein. Landessynode 1967 in Bad Godesberg, Sonderdruck o. O. u. J., 21-39.
Schreiber J., Theologie des Vertrauens, Hamburg 1967.
— Die Markuspassion. Wege der Erforschung der Leidensgeschichte Jesu, Hamburg 1969.
Schubert K., Kritik der Bibelkritik. Dargestellt an Hand des Markusberichtes vom Verhör Jesu vor dem Synedrium: Wort u. Wahrheit 27 (1972) 421-434.
Schulz S., Die Stunde der Botschaft, Hamburg 1967.
Schweizer E., Erniedrigung und Erhöhung bei Jesus und seinen Nachfolgern (AThANT 28) Zürich ²1962.
Strack H. L. / Billerbeck P., Kommentar zum Neuen Testament aus Talmud und Midrasch, 4 Bde., München 1922-28 (= Bill.).
Strobel A., Der Termin des Todes Jesu: ZNW 51 (1960) 69-101.
— Kerygma und Apokalyptik, Göttingen 1967.
— Die Deutung des Todes Jesu im ältesten Evangelium, in: Das Kreuz Jesu (Forum Reihe 12, hrsg. v. *P. Rieger*) Göttingen 1969, 32-64.
Suhl A., Die Funktion der alttestamentlichen Zitate und Anspielungen im Markusevangelium, Gütersloh 1965.
Sundwall J., Die Zusammensetzung des Mk-Ev, in: Acta Academiae Aboensis, Humaniora IX/2, Abo 1934.
Surkau H.-W., Martyrien in jüdischer und frühchristlicher Zeit (FRLANT 54) Göttingen 1938.
Thüsing W., Erhöhungsvorstellung und Parusieerwartung in der ältesten nachösterlichen Christologie (SBS 42) Stuttgart 1969.

Tödt H. E., Der Menschensohn in der synoptischen Überlieferung, Gütersloh ²1963.

Vanhoye A., Structure et théologie des récits de la Passion dans les évangiles synoptiques: NRTh 89 (1967) 135-163.

Vielhauer Ph., OIKODOME, Karlsruhe 1940.

— Gottesreich und Menschensohn in der Verkündigung Jesu, in: Aufsätze zum Neuen Testament, München 1965, 55-91.

— Ein Weg zur neutestamentlichen Christologie: ebd. 141-198.

— Erwägungen zur Christologie des Markus-Evangeliums: ebd. 199-214.

Wendling E., Die Entstehung des Marcus-Evangeliums, Tübingen 1908.

Wenschkewitz H., Die Spiritualisierung der Kultusbegriffe Tempel, Priester und Opfer im Neuen Testament, in: Angelos 4 (Leipzig 1932) 71-230.

Winter P., Marginal Notes on the Trial of Jesus: ZNW 50 (1959) 14-33.221-251.

— On the Trial of Jesus, Berlin 1961.

Stuttgarter Bibelstudien

Jährlich erscheinen 6—8 Hefte in unregelmäßigen Zeitabständen. Die Reihe kann abonniert werden, doch sind auch Einzelhefte lieferbar. Preis des Einfachbandes je nach Umfang zwischen DM 6,80 und 14,80. Bei Abonnement ca. 10 Prozent Ermäßigung.

Zuletzt sind erschienen:

KBW Verlag Stuttgart

forschung zur bibel (fzb)

ist eine neue überkonfessionelle wissenschaftliche Reihe, herausgegeben von Rudolf Schnackenburg und Josef Schreiner in den Verlagen Echter - Würzburg und Katholisches Bibelwerk - Stuttgart.

fzb bringt im Manuskript-Druck-Verfahren Untersuchungen zum Alten und Neuen Testament, zur Umwelt des alten Israel und des Urchristentums sowie zum Frühjudentum.

fzb 4   Ludger Schenke

Studien zur Passionsgeschichte des Markus

Tradition und Redaktion in Mk 14,1-42

570 S., DM 42,—, Echter

fzb 5   Lothar Ruppert

Der leidende Gerechte

Eine motivgeschichtliche Untersuchung zum Alten Testament und zwischentestamentlichen Judentum

288 S., DM 39,—, Echter

fzb 6   Johannes M. Nützel

Die Verklärungserzählung im Markusevangelium

Eine redaktionsgeschichtliche Untersuchung

327 S., DM 29,—, Echter

fzb 8   Dieter Zeller

Juden und Heiden in der Mission des Paulus

Studien zum Römerbrief

312 S., DM 32,—, KBW

KBW Verlag · 7 Stuttgart 1 · Silberburgstr. 121 A